CASE MAP／INDEX

文化政策グループ

公共文化施設グループ

コミュニティ創生グループ

文化創造・発信グループ

CASE
04

アートによる地域づくりの先進事例「大地の芸術祭」を開催

新潟県 十日町市

越後妻有里山現代美術館 キナーレ

大地の芸術祭の中心施設であるキナーレの空間は、地域の良さをアートを通して表現するための、いい意味で主張のないニュートラルな空間となっていた。その空間そして建物を実現するためには、設計者を選定する段階から、地域のさまざまな関係者、そして自治体職員の思いが強く込められ、運営管理からもその思いが継続的に伝わっている。そのプロセスを考えると、よい空間をつくり維持していく上で自治体職員の思いという側面は重要なのかもしれない。

まつだい雪国農耕文化村センター 農舞台

地域の良さをアートを通して表現することは、農村とは無関係に空から舞い降りたようなこの不思議な形の建物においても、中に入れば感じることができた。アートの後ろに見える美しい農村の風景をアートが際立たせていた。しかし、この空間そして建物を通常の行政プロセスで実現させることは難しい。そして、それを維持していくことはさらに難しい。アートに対する住民と自治体職員の理解がないと成し得ないと感じた。

CASE
o6

人と出会い、文化と出会い、新しい自分に出会える

いわき芸術文化交流館 アリオス

いわきアリオスでは、文化・芸術活動をしていない人も、芸術に関心のない人も、好きな時にやって来て、好きな場所で思いのままに過ごせ、好きな時間に帰って行く。そのような心地よいフリースペースを豊かに提供することで、人口減少の時代に入館者数を伸ばし、文化施設の新たな価値を見出している。

フリースペース（無料開放空間）

キッズルームやカンティーネも無料で開放している。施設内にそのようなフリースペースが多いため、さまざまな目的で多くの人が集まっている。

金沢400年を記念して開館した多目的ホール

金沢市文化ホール

逆ピラミッド型の屋根の下が開放的な広場となっており、読書や待合いスペースとして多くの市民に親しまれている。

CASE 08 金沢市民芸術村

全国の公共施設で初となる「市民ディレクター制度」を導入

金沢市民芸術村は、吹き抜けの高い天井や赤レンガの壁面など旧大和紡績倉庫群の魅力を活かして改修し、演劇や音楽、美術などの芸術活動を行える施設として、1996年に誕生した。年中無休、24時間、低料金で利用できる施設となっている。

公立文化施設の中で全国初の「市民ディレクター制度」を導入し、バランス感覚に優れ、ボランティア精神を有する人材を公募で選出し、工房運営を任せている。

屋外は地下水を利用した屋根雪の消雪も担わせる池を設け、全体として芸術村にふさわしい施設となっている。開村翌年の1997年にグッドデザイン賞を受賞。

長野市の文化・芸術拠点として 2016 年に開館

長野市芸術館

2010年から市民のワークショップを立ち上げて80回に及ぶ議論を重ね、2012年には「運営管理基本計画」、2013年には「運営管理実施計画」を策定、同年運営主体となる財団を設立して芸術監督を招聘するなど、開館に向けて周到な準備を重ね、2016年5月に開館を迎えた。

建物のまわりの水辺が印象的な

富士見市民文化会館 キラリ☆ふじみ

劇場のオリジナル作品を「創造・発信」し、地域の文化に関する力を向上させることが重要と考え、芸術活動の充実と公益性を図るため、芸術監督を置いている。

常に新しい分野を取り入れたプログラムを発信している「キラリ☆ふじみ」では、劇場の新しい位置づけである〈新しい広場〉で地域の新しい祭りづくりを行う計画や、海外からのアーティストを迎え入れることにより、海外のアーティストとのコラボレーションプログラムなどの新たな試みを計画している。また、ホール利用に特化せず、地域の文化を継承しつつ、新しいものを受け入れる場として先進的な取り組みを行っている。

2015年度からネーミングライツを導入
小金井 宮地楽器ホール

駅前に立地しているため、施設も駅前広場の一部であるという意識で運営している。市民は、バス待ち、集合場所、自習、練習後のミーティングなど、さまざまな目的で来館している。管理上の難しさもうかがえるが、市民に開かれた身近な施設となっている。

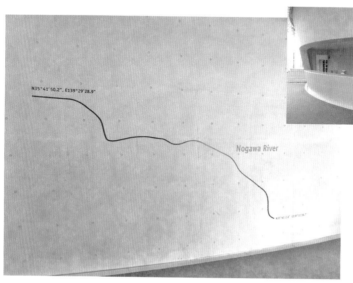

ホールの壁面

壁面には市内の名所や旧跡の形を緯度経度とともにデザインしたグラフィックアートがあり、グッドデザイン賞を受賞している。

CASE 13 所沢市民文化センター ミューズ

日本最大級のパイプオルガンを備えたシンフォニーホール

ミューズの特色である、大・中・小の個性が異なるホールを活用し、幅広い世代に向けて、気軽に行ける公演から玄人好みの公演まで、幅広く展開している。公共ホールとして、誰もが気軽に本物の文化・芸術体験ができるように、チケット料金を都内と比較して2〜3割安く設定し、差別化を図っている。

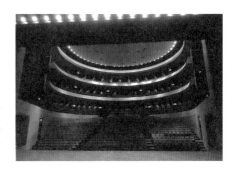

マーキーホール (中ホール)

馬蹄型の演劇ホールで、イギリス・シェークスピア劇場のスワン座を参考に設計された。国内には類をみない珍しい形で音響も良いため、演者に好まれている。客席数は798。

CASE **14** 誰もが文化に親しみ、魅力ある三田の文化を創造することを目的とした
三田市総合文化センター 郷の音ホール

検討段階から市民の意見を積極的に取り入れ、組み合わせると「響」という字になる「郷の音ホール」という美しい愛称も市民公募で決まったという。駐車場が400台収容と広いため、三田市内だけではなく、篠山、三木、神戸市北区などからも利用客が訪れる。

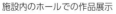

施設内のホールでの作品展示
三田市を拠点にテントシートを使った造形作品を発表している西村正徳の作品展示が行われていた。

CASE
15 県民とともに成長し続けるパブリックシアター
兵庫県立芸術文化センター

阪神・淡路大震災後に復興のシンボルとして被災地に県民の支持と共感
に支えられ、県民とともに立ち上がった劇場。劇場立ち上げ時のコンセプト
「プロによるプロの劇場」として運営を行っている。
劇場への集客のみならず、商店街の賑わいやまち全体の活気の起爆剤とも
なっている。
大・中・小3つのホールを備え、音楽、演劇・バレエなどのバラエティーに
富んだ舞台芸術を通して多くの人々が集い、交流する芸術の広場。

「さいはて」の持つ意味と突破力を強みとした「奥能登国際芸術祭」

石川県 珠洲市

能登半島の先端に位置しており、交通アクセスに恵まれない"さいはてのまち"と呼ばれた地域。そんな場所で、地域の人の関わりを大切にした「奥能登国際芸術祭」の第1回目が2017年に開催された。

住民のエピソードをアーティストが描き起こし、それをもとに住民自らが手芸で作品をつくったテーブルランナー珠洲編。エピソードと作品が同時に展示されている。制作した住民の方が在廊しており、やりがいや苦労話などを聞くことができた。

スズプロ作「奥能登曼荼羅」
古民家の壁や天井を使って、地元から聞き取った話をもとに描いた。

芸術祭期間中はさまざまな地区で狼煙集落のキリコ祭りが行われている。3基のキリコは電信柱ほどの高さがある。設置された太鼓を打ち鳴らしながら集落中をねり歩くのは独特の雰囲気がある。

さまざまな漂着物でつくられた深澤孝史作の鳥居「神話の続き」。昔から奥能登には海からの漂着物を神として祀る習慣があったことが着想となっている作品。

CASE 19 NPO法人 BEPPU PROJECT

世界有数の温泉地を舞台に魅力あるまちづくりに取り組む

NPO法人BEPPU PROJECTでは、platformを通じてさまざまな人が集い交流し、別府のまち全体が、いきいきとした活動の場となることを目指している。中心市街地の活性化を目的とする、別府市中心市街地活性化協議会が、家主の協力のもとにリノベーションを行い、活用している。

①②platform04では、築100年の長屋を地元の大学と建築家らでリノベーションした。
③後ろの建物がplatform01であったスペース。現在は婦人服の店になっている。
④⑤元菓子店だったplatform02。現在は、Oita Made SHOPとして使用されている。大分県産のさまざまなものが販売されており、どれも魅力的である。
⑥⑦清島アパートの中
⑧賑わいを取り戻した北高架商店街

CASE 20

さまざまな特色を持つ空き家の新たな活用を模索する

NPO法人 尾道空き家再生プロジェクト

空き家を利用したゲストハウスを運営したり、尾道市と協働で「尾道市空き家バンク」をスタートさせたりするなど、尾道市という坂の多いまちの特性を個性として捉えることで、まちの魅力を引き出している。

尾道駅からすぐ近くにあるにもかかわらず全棟空き家となってしまった古いアパートを再生してできた「三軒家アパートメント」には、ものづくりの発信拠点としてギャラリーやカフェなどさまざまな店が入り、DIYされたおもしろい空間となっている。

昭和30年代に建てられた元洋品店のこの建物は、子育てママの井戸端サロン「北村洋品店」として活用されている。長年空き家だったが、子連れのお母さんたちが楽しめるような家にしようとさまざまな人がデザインを考えて再生された。

狭い建物の中にさまざまな技法がところ狭しとちりばめられた洋館付き住宅の「尾道市ガウディハウス（旧和泉家別邸）」。長年空き家の状態で解体の危機にあったが、空き家再生のシンボルとして再生中。「いつ完成するか分からない」という意味合いも含めての愛称となっている。

尾道市で豊かに生きるということを真剣に考える人たちが集まる

NPO法人 まちづくりプロジェクト iD 尾道

何を幸せだと感じ、どのように生きることで豊かな生活ができるのか。ドイツでの生活が、生きることの価値観を見直すことにつながった。

築100年の古民家を改装した、「交流」と「発信」がテーマのカフェ「チャイサロンドラゴン」で語る、代表理事の村上博郁と、副代表理事の田中トシノリ。隠れ家的であり、知らない人同士でも打ち解けられる雰囲気のカフェはとても居心地が良い。

尾道のご当地サイダー「チャイダー」は、チャイサロンドラゴンで生まれたお茶とサイダーのドリンク。このように、いろいろなアイデアが形になる尾道で人気のカフェ。

CASE 22

「大地の芸術祭」で地域・世代・ジャンルを超えたネットワークを育む

NPO法人 越後妻有里山協働機構

越後妻有（新潟県十日町市・津南町）で3年ごとに開催されている大地の芸術祭を主催している。国内でも有名なアートフェスティバルではあるが、開催するにあたって多くの課題と向き合うこととなった。

内海昭子の「たくさんの失われた窓のために」
作品の窓から見える風景を通して越後妻有の
大自然を再発見できる。

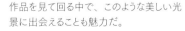

作品を見て回る中で、このような美しい光
景に出会えることも魅力だ。

①行武治美の「再構築」
家であり、自然に向き合える建物であり、時とともに移り変わる環境や素材と対話する場所。2017年の夏プログラムでクローズとなったため、現在は見ることができない。

②カサグランデ&リンターラ建築事務所の「ポチョムキン」
不法投棄について、問題提起されている作品。錆びた金属が不思議とこの光景にマッチしている。

③ジェームズ・タレルの「光の館」
自然の中で光と向き合うことができる空間。宿泊施設としても利用できる。

基礎自治体の文化政策
── まちにアートが必要なわけ

目 次

CASE MAP／INDEX 1

※本文中の敬称は略させていただいた。

00 はじめに

藤野 一夫

　本書は「文化・芸術を活かしたまちづくり」に強い関心をもつ大阪府内の基礎自治体の職員たちによる調査・研究の成果である。「文化・芸術を活かしたまちづくり研究会」は、公益財団法人大阪府市町村振興協会のおおさか市町村職員研修研究センター（通称「マッセOSAKA」）が主催し、2016年度と2017年度の2年間にわたり毎月研究会を開催してきた。各基礎自治体の職員が「研究員」の肩書きをもって、公務として活動できる画期的な研修制度である。

　編者の1人である藤野一夫は、指導助言者として本研究会に参加した。驚いたことに、18名の研究員の過半数が、文化行政畑とは異なる部署に所属する職員だった。たまたま文化振興課等へ異動になったので研修に参加させられた職員ではない。そのような受け身の公務員とは、明らかに目の輝きが違っていた。少し前までのゼミ生のようにフレッシュで、意欲と熱意にあふれていた。自発的に「文化・芸術から大阪を変えたい」という志を抱いた主体的な若手たちに、わたしは大いに触発され、愉しく親密な学び合いが続いた。

　本研究会に集まった18名の研究員は、4グループに分かれて活動してきた。研究グループ分けは、最初にワークショップ形式で行った。各自の関心や職場での課題を出し合い、

キーワードの分類を通じて4つのグループが誕生した。文化・芸術は、まちづくりにおける「かすがい」なのではないかと考える「文化政策グループ」、公共文化施設を核としたまちづくりに関心のある「公共文化施設グループ」、活気あふれるまちづくりの視点からコミュニティ創生を目指す「コミュニティ創生グループ」、自分たちのまちにある地域資源の活かし方について考える「文化創造・発信グループ」、それぞれが純粋に興味のある視点から物事をとらえて活動してきた。

　類書に見られない本書の意義と特徴は、ピアレビュー（同業者どうしのフラットな評価）によって、課題解決への汎用性の高い実践知が紡ぎ出されている点である。ここでのピアレビューには二重の機能がある。①職員＝研究員が、他都市や他地域の職員、団体、政策、施設、事業、活動などについて同じ目線で批評・評価すること、②それらの考察を、各研究グループの枠をこえて、職員＝研究員たちが相互に批評・評価することである。

　現職の公務員による視察が、業務上の実利目的をこえて、それぞれの研究テーマのフィールドワークとして実施され、研究員相互の議論を通じて、幅の広い考察と鋭利な認識が紡ぎ出されたのである。学者による上から目線の研究書ではない。コンサルによる現状追認的、政策誘導的な調査報告書でもない。実務家による実務家に対するピアレビューを通して、「文化とまちづくり」、そして基礎自治体の文化政策をめぐる新たな研究の地平が拓かれたものと確信している。

01 本書の構成

藤野 一夫

　わたしたちは、文化施設や活動団体への視察を積み重ねてきた。相互に報告と討議を繰り返すことによって、それぞれの研究テーマに特有の課題のみならず、各テーマに共通する課題も明らかとなった。次々にわき起こる疑問と好奇心こそが研究の原動力である。だんだんと研修の枠から外れて、有志で集まっての調査も行われるようになった。

　文化・芸術をまちづくりに活かしている全国各地の自治体を訪れ、自治体職員だけではなく、まちのために楽しんで活動しているNPOの方たちにもヒアリングを行った。各地で出会った、文化・芸術を活かしたまちづくりのために精力的に活動される方々の姿を通して、文化・芸術によって「まち」がどのように変化しているのかに着目した。

　そこで得られた経験を通して、「文化・芸術を活かしたまちづくりとは何なのか」「まちづくりにおける成功とは何なのか」「自治体職員にできることは何なのか」を考察してきた。研修の最後には、劇作家で演出家の平田オリザを招き、総括シンポジウムを開催した。本書には、その基調講演「文化によるまちづくりの可能性」も収録されている。

2年間の職員研修終了後も、メンバーの一部は自主研修として活動を継続し、これまでの経験を活かして何か実践をしたいと試行錯誤している。その活動の一環として、代表の能勢恭雅（茨木市）をはじめ、上月清登（高槻市）、勝連賢介（門真市）、滝元絵梨子（岸和田市）の有志4人が本書の編集を献身的に担った。

　全体の序章にあたる「日本の文化政策の変遷と自治体の役割」は、本研究の3年目にあたる自主研修の総括シンポジウム「文化芸術基本法と自治体の役割」で行った基調講演がもとになっている。日本の文化政策100年の歴史を概観し、その変遷の政治・社会的背景に迫った。そして、現在の自治体文化政策とその職員が果たすべき役割を、批判的精神にもとづいて提起した。

　つぎに4つのグループの研究テーマの概要を紹介する前に、それらに共通するキーコンセプトを説明しておきたい。

　文化・芸術によるコミュニティ再生が日本各地で試みられているが、その際のキーワードになっているのが「文化的コモンズ」である。文化的コモンズとは、地域の共同体の誰もが自由に参加できる入会地のような文化的営みの総体。つまり共同の文化的ネットワークやクラスターを意味している。震災後における公立文化施設の役割を調査した財団法人地域創造（現・一般財団法人）の報告書にも『文化的コモンズの形成に向けて』というタイトルがつけられている。提言にはこうある。

　「東日本大震災の後、誰もが文化的な機会を享受し、その経験を他者と共有できる場の重要性を認識したのは、被災地だけではない。そうした場は、地域の多様な文化的営みを共有し、分かち合える『文化的コモンズ（共同利用地）』の形成によって成立する。（中略）公立文化施設は、文化的なつながりを求めて人々が集まり、地域の記憶と共感の装置として機能する文化拠点を目指し、地域で継承されてきた伝統芸能やお祭り、文化団体やアートNPOなど、様々な文化の担い手とも手を結び、文化的コモンズの形成を牽引する役割を担うべきである」。

　以上の提言から明らかなように「文化的コモンズ」を形成する主体は、公立文化施設だけではない。文化団体、NPO、まちづくり団体、図書館、公民

館、自治会、商店街、地場産業、お祭り、地域伝統芸能、神社仏閣などが、その主体である。文化的コモンズを形成する主体は、文化施設だけでなくさまざまな場所や組織や活動なのである。

　文化的コモンズの形成にとって、なかでも公共文化施設に求められるのは、地域における「文化拠点」としての役割である。文化拠点に必要なのは、地域の内と外の営みをつなぎ、また地域コミュニティとテーマコミュニティをつなぐプラットフォームとしての機能だ。文化的コモンズを形成する文化的拠点が、他の領域・他の地域のさまざまなコモンズと双方向的で水平なネットワークを形成する。そのような異なる方向への乗り換えや相互乗り入れが可能なプラットフォームが、全国各地のコミュニティに求められているのである。

　以下では、各研究グループの問題意識と概要を簡潔に紹介したい。

出典：財団法人地域創造「災後における地域の公立文化施設の役割に関する調査研究報告書」を一部改変

図表 01-01　文化的コモンズのイメージ図

文化政策グループ

　これからの基礎自治体は、地域の文化・芸術振興に対してどのような責務があるのだろうか。「公金を使って文化・芸術政策を行う意味」や「文化・芸術政策を実施することの公共性」を説明できなければならない。そのためには、文化・芸術の真の価値を見直すとともに、従来とは異なる視点から文化・芸術を捉え、政策に反映させる必要がある。文化政策グループの研究は、「自治体は文化・芸術に対して何ができるのか？」「自治体は文化・芸術で何ができるのか？」という問いをもとにスタートした。

　真の文化・芸術振興とは、文化・芸術活動そのものを活発にすることだけではない。文化・芸術が人間性や自律性の涵養に寄与し得る点に着目し、生活の中に文化・芸術を上手く取り入れ、その力を活かして"まちづくり"や"ひとづくり"を進めることが、より良い社会の構築につながる。そして、結果的に文化・芸術の振興にもつながる。このような視点から、自治体の文化・芸術政策を考えるべきではないか、との議論に至った。この視点に立つことにより、「優れた文化・芸術に触れることは、衣食住と同様に人間生活の必要条件である」ことを説明できるようになる。それによって、自治体が文化・芸術政策を実施することの意義が明らかになるのではないかと考えた。

　文化・芸術にかかる条例・計画・ビジョン等を策定することの必要性とともに、文化・芸術が「まちづくり」と「ひとづくり」の場面において持つ「かすがい」としての役割に着目した。方針等を示して文化・芸術政策を実施する自治体と、文化・芸術を活用して施策を実施する自治体を視察し、文化・芸術の「かすがい」としての効果と、その活用方法を考察した。

　自治体では人事異動が行われるのが常であり、担当者が変わったことで事業の継承ができなくなることも多々見受けられる。しかし、自治体は外部の団体や人材とつながり、協働し続けることで、それらを介して施策の方向性や目的を関係部署間で共有できる。また、それらを次の体制へ継承することも可能となるだろう。

公共文化施設グループ

　公共文化施設は「貸館」としての機能を中心に運営されることが多いが、この場合、利用者は文化活動を行っている人などにとどまりがちである。しかし、施設の維持管理にも多額の公費が必要であることを鑑みると、借りたい人に貸し出す「ハコもの」に甘んじることなく、「公共財」としてより多くの人々に活用される在り方を探ってゆく必要がある。

　さらに、その在り方が施設本来の設置目的である「文化・芸術」とリンクして、まちの魅力づくりにつながるとすれば、それが人口減少社会の公共文化施設が目指すべき姿となるのではないか。このような視点から、公共文化施設自身が積極的にまちの魅力づくりにつながる事業を展開している先進事例を調査し、公共文化施設の多様な可能性を探った。

　たとえば、いわき芸術文化交流館 アリオスでは、文化・芸術活動をしていない人も、芸術に関心のない人も、好きな時にやって来て、好きな場所で思いのままに過ごせ、好きな時間に帰って行く。そのようなフリースペースをどれだけ豊かに提供できるかが成功の秘訣である。

　可児市文化創造センター ala では、芸術の殿堂ではなく「人間の家」という理念のもと、最後の拠り所となるセーフティネット的な役割を開拓している。老人ホームやグループホームであれば役割を理解し必要性について誰も異を唱えない。文化施設もそうあるべきで、身体の不自由な人々や精神障害のある人々、引きこもりや高齢者等、社会的課題解決のための施設を目指している。

　富士見市民文化会館 キラリ☆ふじみは、ホール利用に特化せず、地域の文化を継承していく場としての位置づけや、新しいものを受け容れる場として先進的である。このような事例から、これからの公共文化施設の役割は、どの世代の、どんな市民にも幅広く活用され、社会包摂などの社会的課題解決のための地域社会の拠点となる必要がある。

コミュニティ創生グループ

　コミュニティ創生グループは、人口減少・核家族化など、社会状況の変化により人と人のつながりが大きく変化する中で、文化・芸術を活かした「コミュニティの活性化」が、文化・芸術を活かした「まちづくり」になると考え、研究をはじめた。これまでは、行政と地域団体、行政とNPO、行政と教育機関といったように、行政と他主体の二者関係が複数あり、行政が中心になって取り組みを推進する手法が主であった。しかし今後、文化・芸術の取り組みをさらに充実させるためには、行政、地域、NPO、企業、教育機関といったさまざまな主体が、それぞれにネットワークを築き、多種多様な活動を展開していく必要がある。

　そこで「文化・芸術」と「人と人のつながり」「コミュニティの活性化」という視点から先進事例を視察し、行政の果たすべき役割と効果的な取り組みについて調査研究を行った。たとえば、萩市の人々にとって、歴史や文化の価値を守っていかなければならない、という認識は当然のことであり、あらためてコンセンサスを得る必要はない。市民の根底に流れている共通認識を培ってきたものは、人間が為せることへの期待や信頼である。長期的な「ひとづくり」が信頼の「まちづくり」へとつながっているのである。

　調査した事例や取り組みはいずれも、「文化・芸術」によって人々に働きかけ、まちを盛り上げよう、コミュニティを盛り上げようという想いや情熱を持った「人」が存在し、その「人」が行動を起こすことによって何かが動き出す、という点において共通していた。視察した各事例では、行政、NPO、商工会等が互いの強みを活かしながら、連携した取り組みを行うことで素晴らしいネットワークが形成されていた。文化・芸術の取り組みにおいて、基礎自治体が担うべき役割は何か。それは地域ごとに異なるだろう。その時々に必要とされている役割を見極めた上で、行政が担うべき役割を果たしていかねばならない。そのためにも、スムーズな意思決定やチャレンジができる行政組織をつくることが不可欠である。

文化創造・発信グループ

　すでに自分たちのまちにある伝統や文化といった地域資源をどのように活かせば、まちの内外の人に広く知ってもらえるのか。また、そうした伝統や文化に多くの人に親しんでもらい、それらをまちづくりに活かすためにはどうしたらよいのか。課題として挙げられたのは、①現役世代を取り込めていないこと、②若い世代を惹きつけていないこと、③文化・芸術資源が活性化していないこと、④行政から一方的に発信しても興味のない人には届かないこと、以上の4点である。

　視察先は、大都市ほどの経済規模は有していないが、歴史・文化のある地方都市（基礎自治体）で、以前は賑わっていたが、昨今は衰退していることが問題となっている地域である。視察先を選定する際の基準として、①どういった立場の人が関わっているか、という「アートプロジェクトの担い手の多様性」と、②アーティストの表現物としての場なのか、それとも地域活性化という場なのか、という「アートプロジェクトの目的（ミッション）の多様性」の2つの視点を立てた。

　フィールドワークに選んだ別府、尾道、十日町・津南、大町の各市の事例は、それぞれの地域特性を反映したユニークなアートプロジェクトを展開し、そのアクターやネットワークの形態も多様である。個々の考察は本論に譲るとして、なかでも越後妻有「大地の芸術祭」（十日町市・津南町）は、別の視点から文化政策グループも対象としており、その特殊性と普遍性（汎用性）の両面において非常に示唆的である。

　大地の芸術祭は、本来は地域活性化が主体であり、越後妻有の里山文化や人々の生活が密接にかかわっている。観光という視点も欠かせないが、やはり中心にあるのは人々のつながり、自然との共存という部分である。ディレクターである北川フラムの手法は、過疎化、高齢化などの危機に直面している地域でこそ最大の効果を発揮している。

　他方、大都市部ではどうであろうか。大阪は利那的な側面が強く、瞬間最大風速的な集客ができればよい、という非常に短絡的な観光目線になってしまっている。このような課題をいかに克服するかが、文化創造・発信グルー

プの最大の懸案となった。そこで「文化的コモンズ」の形成というコンセプトを指針として、他の基礎自治体にとっても汎用性の高い政策提案を試みた。

　以上、本書の構成を概観した。「はじめに」で述べたように、現職の公務員によるピアレビューを通して活発な熟議が生まれ、課題発見と課題解決のための中・長期的ビジョンが、当事者による実践知として紡ぎ出された。それらは、いわゆる有識者による審議会の意見とも、文化政策研究者もしくはコンサルによる政策立案とも異なる、知恵や創意工夫の宝庫である。本書には、現職の基礎自治体などの実務家にとって示唆に富む行動指針が、理論的な裏付けをともなって披歴されている。

　まことにユニークな文化政策研究と提言の書として、それぞれの地域の、それぞれの方々に参考にしていただければ幸甚です。

② 日本の文化政策の変遷と 自治体の役割

藤野 一夫

なぜ日本の国の文化予算は少ないのか?

　毎年、東南アジアのどこかの国でアジア・アーツマネジメント会議（AAM）を開催している。仕掛け人は大阪市立大学の中川眞教授。平田オリザも必ず参加する。関西で活動しているアートNPOのメンバーと研究者が出かけて行き、東南アジアのアート関係者とフラットな対話と交流を十数年にわたり継続してきた。アジアと一口で言っても、文化政策やアートマネジメントの考え方や構造は驚くほど多彩。豊かな学び合いの場となっている。その多様性の中で、欧米とは異なるアジア型アートマネジメントの特質や仕組みを把握したいと、調査研究を続けている。

　2019年1月にはハノイでAAMを開催した。ベトナムは共産主義国であり、文化は社会全体の精神の基盤として重視

されている。ただし厳しい検閲がある。共産党の方針と政府の文化政策のもとで、美術協会のような国家公認の文化組織が全体を統制している。文化予算はどのくらいだろうか。ベトナムの文化関係者の報告によると、国家予算全体の1.8％を占めているとのこと。ちなみに日本の文化庁予算は0.1％だ。

　ではなぜ、日本の文化行政はかくも「控えめ」なのだろうか。なぜ日本の文化政策は他の政策の中で存在感に乏しいのだろうか。それは公的な文化予算が慎ましやかなものであるからだろうか。端的に、なぜ日本の文化予算は、これほどまでに少ないのだろうか。まずは簡単に過去を振り返ってみたい。詳細は後述する。

　1868年の明治維新以来、150年が経った。1876年、明治政府は工部美術学校を設置し、西洋美術教育が開始された。1879年、文部省に「音楽取調掛」を設置し、西洋の音楽教育が本格化した。他方、演劇は一般的に「淫蕩猥褻で、品位に欠け、俗っぽく、教育的にも大いに害がある」として除外された。とりわけ庶民の伝統文化（浮世絵、歌舞伎、邦楽）は価値が劣るものとして公教育から排除されたのである[1]。ただし、これらの国の政策は「文化政策」という枠組みで行われたのではない。

　民間では大正時代に、宝塚歌劇や資生堂ギャラリーが創設され、東京、大阪、名古屋などの大都市ではオーケストラが組織され、新劇の公演や、美術展などが盛んに開催された。電鉄会社、デパート、新聞社など民間企業が文化と娯楽を提供していたのである。また20世紀に入る頃から芝居小屋が全国各地に建設され、芸能興行が爆発的に増大した。愛媛県では、第二次世界大戦までに常設の芝居小屋が111座あったことが確認されている。香川県の例では、人口30人につき1席の割合で芝居小屋の席が確保されていたという[2]。日本の劇場文化の層が、いかに厚かったことか。その後の変遷について再考を促すデータである。

　1918年の第一次世界大戦の終結から100年が経過した。第一次大戦の頃、日本でも「文化政策」という言葉が登場した。日本の文化政策もすでに一世紀の歴史があり、時代ごとの特徴と変遷がある。戦前の文化政策は、一方では「文化統制政策」であり、他方では「対外宣伝」（特に植民地へのプロパガンダ）

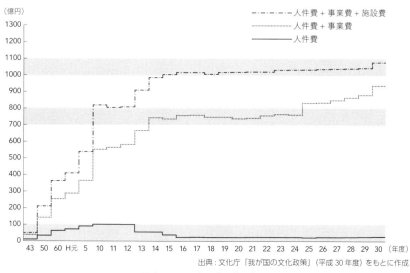

図表 02-01　文化庁予算の推移

を意図したものだった。終戦後、ただちにGHQ（連合国総司令部）によって文化政策もリセットされ、国家主導型の文化政策は不可能となった。国のレベルで文化政策について論じることは、1990年ごろまでタブーであった。

　戦後、文化庁が発足するのは1968年。文化庁予算の推移を示したグラフを見てみよう（図表02-01）。新国立劇場がオープンした直後の1998（平成10）年に800億円を超え、2003（平成15）年以降は1,000億円台をキープしている。これは国家予算の0.1％に相当する（教育予算は5.5％）。発足当初と比べると文化庁の文化予算は大幅に増えている。しかし、国民1人当たりの文化予算は、他の先進国、ドイツやフランス、さらに韓国と比べでも10分の1程度である。ただし、文化財の保存と修復に関しては、日本の制度と技術はかなり進んでいる。

　文化庁予算額を分野別に示したグラフに注目したい（図表02-02）。文化庁の文化予算の半分近くは、文化財保護のために使われている。その理由の1つは、第二次世界大戦の直後に文化財保護法が制定されたからだ。これに対し、パフォーミングアーツ関係の予算は国立劇場を含めても200億円程度。美術

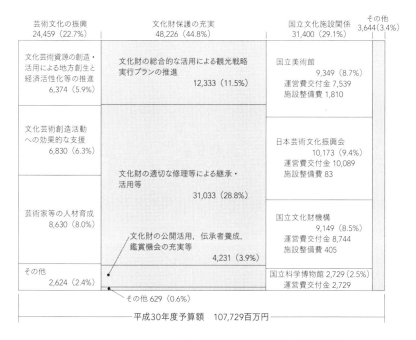

芸術文化の振興 24,459 (22.7%)	文化財保護の充実 48,226 (44.8%)	国立文化施設関係 31,400 (29.1%)	その他 3,644 (3.4%)

文化芸術資源の創造・
活用による地方創生と
経済活性化等の推進
6,374 (5.9%)

文化財の総合的な活用による観光戦略
実行プランの推進
12,333 (11.5%)

国立美術館
9,349 (8.7%)
運営費交付金 7,539
施設整備費 1,810

文化芸術創造活動
への効果的な支援
6,830 (6.3%)

日本芸術文化振興会
10,173 (9.4%)
運営費交付金 10,089
施設整備費 83

文化財の適切な修理等による継承・
活用等
31,033 (28.8%)

芸術家等の人材育成
8,630 (8.0%)

国立文化財機構
9,149 (8.5%)
運営費交付金 8,744
施設整備費 405

文化財の公開活用，伝承者養成，
鑑賞機会の充実等
4,231 (3.9%)

その他
2,624 (2.4%)

国立科学博物館 2,729 (2.5%)
運営費交付金 2,729

その他 629 (0.6%)

平成30年度予算額　107,729百万円

出典：文化庁「我が国の文化政策」（平成30年度）をもとに作成

注：単位未満を各々四捨五入しているため、合計額と合致しない場合がある。

図表 02-02　平成 30 年度文化庁予算額（グラフ内単位百万円　分野別）

関係は国立美術館運営費以外にはほとんどない。

　しかし、公共文化予算は文化庁予算だけでない。隠れ文化予算は他の省庁にもあるが、ここでは文化関係経費の推移（地方自治体の文化予算の変化）を見てみよう（図表02-03）。このグラフは市町村などの基礎自治体と都道府県の文化予算を合わせたもの。「芸術文化」と「文化財」を合わせた地方自治体の文化予算は1993（平成5）年がピークで1兆円近くになっている。その後、急激に落ち込み、2007（平成19）年には3,300億円、14年間で3分の1にまで減少しているのだ。

　ただし、これにはトリックがある。文化財を除いた「芸術文化」経費の推移をご覧いただきたい（図表02-04）。やはりピークは1993年の8,200億円だが、そのうちの6,000億円を文化施設建設費が占めている。2010（平成22）年を見

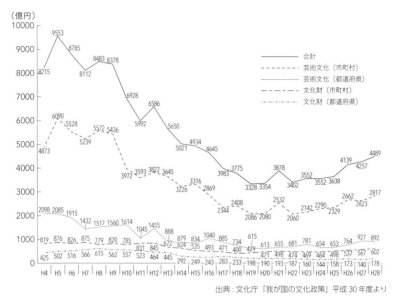

（億円）

出典：文化庁「我が国の文化政策」平成30年度より

図表 02-03　文化関係経費の推移（芸術文化経費＋文化財保護経費）

ると、文化施設建設費の割合は非常に少なくなっている。2,700億円のうち施設建設費は300億円弱。残りの2,400億円は、人件費や施設の維持管理費と事業費である。一番下のところにプロジェクト予算、つまり事業費がへばりついている。長年にわたり500億円から600億円で推移している。じつは文化施設建設費を除けば、自治体の文化予算は、ここ25年間ほぼ横ばいであることがわかる。事業費だけで見ると、日本の「芸術文化」予算は、国と地方自治体を合わせても年間1,000億円に届かない。

　ところで、ヨーロッパでは施設建設費（インフラ整備費）を文化予算に含めないのが原則である。たとえばドイツの場合、その「真水」での文化歳出額が、連邦政府と16の州政府と基礎自治体を合わせて約1兆3,000億円となる。日本の公共文化予算がいかに慎ましやかなものか、おわかりいただけると思う。文化庁は「文化芸術立国」を目指しているが、国の文化予算が急激に増える見込みはないだろう。また、自治体の文化予算も現状維持が精一杯。日本は、そもそも「文化国家」と言えるのだろうか。

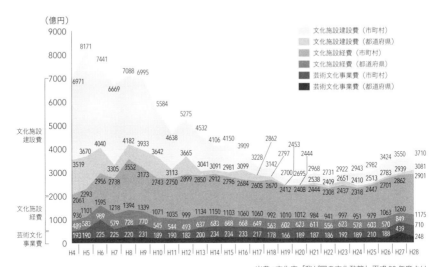

（億円）

出典：文化庁「我が国の文化政策」平成30年度より

図表 02-04　芸術文化経費の推移（芸術文化事業費＋文化施設経費＋文化施設建設費）

戦前の文化政策

　日本の文化政策がかくも脆弱であり、文化予算が先進国中最低であること
には複合的な理由がある。まずは日本の文化政策の100年の歴史を概観して
おきたい。先に触れたように、日本で「文化政策」という言葉が登場したの
は第一次世界大戦のころ。ドイツの文献を通して「クルトゥーアポリティー
ク」Kulturpolitik という概念が日本に紹介された。

　新藤浩伸の詳細な実証研究によれば、「文化政策」が論じられ始めたのは
1914〜16年だという[3]。文化政策に関する文献の出版数では日中戦争から終戦
にかけて（1938〜44）と2000年以降が突出している。文化政策が初めて本格的
に論じられたのは、マックス・フェルヴォルンの『文化政策の生物学的基礎
（世界戦に対する一考察）』で、イギリス文化に対するドイツ文化の優位を、進化
論に基づいて主張する内容であった。以後も日本ではドイツの文化政策から
の影響が支配的であったが、日本の植民地統治の論理もドイツ思想からの影
響が強かったのである[4]。

もっとも、1920年代にはリベラルな文化政策論も出てきた。大正リベラリズムを反映して、社会事業論として文化政策を構想する系譜である。当時は文化政策と社会政策の境界があいまいだった。1919年には大阪に「文化政策協会」が設立された。「現代の社会における精神文化の普及並びに現代の我が国の都市の実情に適応した文化施設促進のための宣伝をなすこと」が目的だった。文化政策協会は、①社会教育、②市民芸術促進、③児童保護問題、④婦人問題、を事務分担し、文化宣伝を目的とする講演会、展覧会、演奏会等の開催、文化事業に関する研究会の開催、会報や冊子の刊行を行っていた。[5]

　『現代社会事業の精神』（文化政策協会, 1921）を書いた水野和一は、文化政策協会の中心人物のひとりで、大阪毎日新聞出身。アメリカ留学を経て大阪市嘱託となり、貧しい地区に児童公園を設置し、セツルメント事業として音楽会や美術展を提案した。水野によれば、文化政策とは「国民平等の文化的享受を目的として社会一般の知識、趣味、及び社交性を発せしむる社会的方策」である。水野の文化政策論は、以下の3点にまとめることができる。

① 当時の社会政策論や労働問題の文脈で文化政策が論じられている。労働者の貧困を改善するための住宅供給や、具体的な文化的生活の前提である社会政策が必要。

② 文化政策と社会教育（通俗教育）との違いの強調。文化政策は市民に知識及び趣味につき自己発展の機会を与えるが、社会教育は市民の常識の涵養及び職業教育にとどまる。

③ 民衆娯楽論を批判。教育政策は芸術を道徳鼓舞の手段と見るが、文化政策は芸術そのものの価値によって、人間の精神の改善を図るもの。民衆娯楽論は文化政策と教育政策を同一視し、芸術の価値を認めない（社会教育からの分離）。経済政策と異なり、文化政策は芸術的価値で芸術を評価する（美的自律性の原則）。

　この時代に水野和一と文化政策協会が提唱し、そして大阪市もまた取り組んだ文化政策は都市政策の先駆であった。人口増加と産業の近代化によって悪化する都市環境を社会事業の観点から改善しようとしたのである。またそ

れは、現代の「社会的包摂」と通底しており、拡張した文化政策を先取りしているようにも見える。ただし水野の立場は、あくまでも「文化政策は芸術そのものの価値によって、人間の精神の改善を図るもの」である。社会問題の解決のために芸術を活用しようとする道具主義的な文化政策とは一線を画すものであった点に留意したい。

また同じ時期にあたるが、1917年にアメリカより帰国した賀川豊彦も、神戸で多様な社会事業を開始していた。1920年には、神戸購買組合を設立し、自伝的小説『死線を越えて』がベストセラーとなっている。賀川は「生産の芸術化と消費の文化的意義」について、以下のように語っている。「需要に対して生産者の活動が開始される時に、人間生命の幸福と完成のために、必然的に功利的一面と共に、芸術的精神をもってこれを生産するならば、そこには生産の芸術化があり、生産品に美と味わいを加えることになるのである」[6]。

協同組合を基礎組織として、生産と消費と生活（暮らし）を、芸術的精神の観点から統一しようとする賀川の思想は、文化政策と社会政策を融合したアソシエーション型の社会構想といえる。これからの文化政策にとっても示唆に富むコンセプトである。

大戦期の文化政策論

やがて大正リベラリズムはファシズムに飲み込まれてゆく。1937年の日中戦争を契機に、検閲や禁止などの文化統制が強化される一方、国民戦時体制に沿った文化の創造と発信には、国が積極的に関与するようになる。1939年、日本初の文化立法となる映画法が施行され、国策映画がたくさん制作されたのである。たとえば、近年台湾の国立歴史博物館で修復された国策記録映画『南進台湾』[7]を見ると、植民地への移住促進のプロパガンダの諸相が明確に読み取れて興味深い。

1938年、日独文化協定が締結され、「ドイツブーム」の高まりの中、ナチスの文化政策が次々と紹介された。近藤春雄はナチスの文化政策の枠組みを利用して、以下のような文化政策論を展開した。①「階級主義的文化享

受」から「国民的文化享受」への移行、②階級・文化あるいは教養を超克した上での「総親和体制」の形成、③それらを完遂する上での勤労、労働奉仕の重要性、である。文化を芸術のみならず生活一般まで広く捉え、下から国民文化を生み出す運動が必要とされた。[8]一握りのエリートのための文化から、「国民」のための、国民による文化への転換が叫ばれたのである。

　このような機運の中で1940年、大政翼賛会に文化部が設置され、劇作家の岸田國士が初代文化部長に就任した。岸田が主張する文化部の役割は以下の4点に集約される。

① 文化を科学、技術、文学、芸術、宗教、教育、ジャーナリズム、出版などを包括した幅広いものと捉え、広義の文化活動の現状をつぶさに調査し把握すること。

② 既存の文化領域・団体の連携を促進するとともに、既存の文化から抜け落ちている領域を拾い上げること。生活文化、日本語教育、健康（厚生）など。

③ 文化政策の具体的参画に積極的に関与するように知識人に働きかけ、官僚主導からの脱却を図ること。

④ 政治そのものに文化的色彩や文化性を与えること。[9]

　大政翼賛会文化部は、文化活動を統制する立場ではなく、文化活動の担い手や知識人に働きかけて、国民全体を有機的に結びつけ、国民全体の責任において文化の重要性を高めようとした。岸田は次のように発言している。「国民は従来指導される立場にあったが、それではいけない。国民が自力で引っ張って行かねばならぬ。今や国民は立ち上がる機だ」[10]。

　岸田の呼びかけには悲壮なものがある。のちに述べるように、彼は方針の違いに失望して、1年半後には文化部長を辞任。さらに終戦後はGHQによって公職追放の憂き目にあう。日本ファシズムの二重の犠牲者だ。周囲に担がれて、リベラルな知識人が捨て石となったのである。岸田が大政翼賛会の文化部長を引き受けたことは、軍部の横暴に対抗する体制内部からの最後の抵抗であり、ギリギリの戦略を意味した。岸田の親友であった仏文学者で文芸評論家の中島健蔵は、つぎのように回想する。

「岸田さんは、実は失敗の可能性を、わたくし以上に知っていた。しかし『もし君たちをはじめ、多くのなかまが、本気で自分を支持してくれるとわかれば、できるだけやってみようと思う。もう一身上の都合を考えている時ではないけれど、成功不成功をかんじょうに入れず動く経験から久しく離れているからね』と吐き出すようにいって、じっとわたくしの顔を見つめた。その時、岸田さんのいつもの笑顔が、ゆっくりと目もと口もとにもどってきた。『やって下されば、みんな支持しますとも』と答えながら、わたくしは泣きたいような気持ちになって来た」[11]。

　しかし1941年4月の翼賛会の改組によって、岸田の目指した「政治そのものに文化性を与える」方向は歪められ、反対に以下のような方針が打ち出された。「政治の文化性ということが言われるが、文化力の昂揚、文化の再創造ということを、かくのごとく国家総力への根源的形成力として解するならば、むしろ文化が政治性をもつこと、文化力が政治の支柱になることこそ、現実日本が直面している偉大な歴史創造への大業完遂の過程において必要なことと言うべきであろう」[12]。

　大正リベラリズムはファシズムに飲み込まれてしまった。文化・芸術を社会事業と結びつけ、自由な精神に基づく人間社会の形成を目指した文化政策は、国家・政治のために文化・芸術を利用、いや「動員」する統制政策へと変質したのである。1939年に出版された『教育学辞典』の中で、林達夫はまず「芸術政策」を「芸術の政治的統制のために設定せられる政策のこと」と定義した。また、芸術政策よりも広範な「文化政策」Kulturpolitikについては、以下の2つに分けて定義していた。ここでの「文化財」の概念が、人間の、いや「国家・国民」の精神的活動の一切を包括するものである点に留意したい。

① 文化財（宗教・芸術・科学・道徳・教育等）の促進を目指す国内政策の重要な一部分を形成する国家の目的意識的活動。平時においてはかかる活動は分散的・職能別的であるが、非常時には、たとえば国民精神総動員の場合のごとく、国家がイニシアティブをとって、国内のあらゆる文化機関に国策の

線に沿はしめる活動を促す強力な文化運動を行う機関と行動綱領をもつこともある。

② 文化財を権力目的に奉仕せしめる目的意識的活動。主として対外的文化事業の形で存在するが、これは「文化宣伝」Kulturpropaganda とも呼ばれる。国策の遂行が外国との摩擦や軋轢を生み出す場合、特に外国が悪宣伝によってそれを妨害しようとする場合、その真意を相手に納得せしめるためには、まず自国文化の優秀なる相、文化が一般に普及している有様などを正しく認識せしめる必要がある。そしてかかる文化宣伝は、平生から国外に自国の「友」を出来るだけ多く作っておくことから始められねばならぬが、特に戦争の際には、これは他方を味方につける重要な役割を演ずる活動であるが故に決して忽かせにし得ないものである[13]。

　2つの定義ともに、文化政策が「国民精神総動員」のための「国家の目的意識的活動」である点は共通している。①は国内における文化政策である。文化・芸術そのものの振興のみならず、ここでの文化政策の対象は宗教・科学・道徳・教育等にまで広がっている。芸術政策は国家政策の対象としては極めて限定的であるが、文化政策が包括する範囲は人間の精神活動全体に及んでいる。物質的・身体的な総動員と並んで、国民精神すなわち非物質的で内面的な価値の一切が国家の目的意識に従って統制され、総動員できるように、「非常時」の組織体制までもが国家政策化されている。

　他方、②の定義は主として「対外文化政策」であり、これもドイツ語の「アウスヴェルティゲ・クルトゥーアポリティーク」Auswärtige Kulturpolitik から来ている。現在のパブリックディプロマシーやソフトパワー論のさきがけと見てもよいだろう。ただし「文化宣伝」とあるように、まずはその本質が「プロパガンダ」なのか、それとも「ディプロマシー」にあるのかを見定める必要がある。

　ヒトラーの腹心、ナチスのゲッベルスは、文化大臣ではなく「宣伝大臣」であった。そのメディアを駆使したプロパガンダの手法と技術は、戦後、各国の商業メディアや文化産業のみならず、パブリックディプロマシーの分野

にも影響を与えてきた。「自国文化の優秀なる文化宣伝は、平生から国外に自国の『友』を出来るだけ多く作っておくことから始められねばならぬ」という有事に備えての対外文化戦略は、2020年東京オリンピック・パラリンピックを目前にして、日本のメディアにおいても全盛を極めている。プロパガンダかディプロマシーかという本質的な区別は、じつのところ容易ではない。

戦時期における文化政策の特徴は、以下の3点にまとめることができる[14]。

① 同盟国ドイツ・イタリアを中心とした他国の文化政策の調査を通じて、理念レベルから具体的な制度レベルへ移行し、主にドイツの「文化国家観」に基づく民族文化論的で排外的な文化政策が展開された。

②「総動員」体制の強調。総力戦下、国民の形成に関わる、教育・科学・宗教・文芸・芸術の全てが、文化ないしは文化政策という観点から再編成を迫られた。

③ 科学性と宣伝性の重視。文化政策概念は、映画やラジオ、芸能といったマスメディアや大衆娯楽を利用し、従来の伝統的な強化（教育）の手法に加え、近代的なテクノロジーを用いた宣伝の側面を強調した性格を持っていた。

このように戦時期の日本では、主にナチス・ドイツの文化統制政策を手本に、国民の精神活動に関わる一切が「文化政策」の観点から総動員された。その際に、映画やラジオといったマスメディアやテクノロジーが大いに活用され、また大衆娯楽を利用して、国内外に向けた文化宣伝が重視された。

さきほど日本は「文化国家」と言えるかどうか？という疑問を出したが、戦前・戦後を通じて、「文化政策」とならんで、この「文化国家」という概念が実に厄介なのである。これもドイツ譲りの言葉で、原語は「クルトゥーアシュタート」Kulturstaat。ドイツでも当初は、官僚制によって硬直化した法治国家を、精神文化によって自由で明朗なものにする、という意味合いで使われた。リベラルなコスモポリタニズムが文化国家の精神だった。ところがナチス同様、日本でも戦時体制に入ると、「国防国家こそが文化国家である」という言説に変わっていった。文化国家の名のもとに個人主義の滅却が唱えられ、全体主義の国家観に変貌していったのである。

戦後の文化政策への疑問

「文化国家」概念を考究した中村美帆によれば[15]、終戦直後、文部省は「文化国家」を戦時期とは全く反対の意味で使おうとした。第一に、文化国家は軍国主義と決別した平和国家である。第二に、文化国家の主体は国家ではなく、自由な個人としての国民ないし民衆である、と。しかしGHQは「文化国家」という概念はナチス譲りの国家観であるとして、これを認めなかった。それ以降、日本は「文化的な国家」を目指してゆくが、公式に「文化国家」を名乗ることはできなかったのである。

同じ問題は「文化政策」という概念にも当てはまる。GHQの容赦ない検閲のもとで、「文化政策」という言葉もタブーとなった。精神活動全般に関わる総合的な政策としての文化政策は不可能となった。もはや文化は、教育を包摂する包括的な概念ではなく、教育の一部としてのみ、細々と生き残ることができた。社会教育行政の一分野としてのみ、文化に関わる事柄は処理されるようになったのである。たしかに社会教育法に基づいて、公民館・図書館・博物館が整備されたが、それらは「社会教育施設」であって文化施設ではない。

このように、戦後の日本の文化政策はGHQによって骨抜きにされ、文化については行政が関与しないという自由放任状態が続いたのである。こうした文化政策の変遷を、やや詳しく見ていこう。

まずは社会教育と文化政策の関係の変遷に注目したい。大戦期に社会教育行政は、総合政策としての文化政策に包摂されたが、終戦直後、その関係は逆転した。しかしその経緯は一筋縄ではいかなかった。1946年、米国教育使節団報告書を受けて、文部省による改革書「新教育指針」が出された。新しい芸能文化は「それ自身は人生の目的として追求せられるべく、他の目的の手段であってはならない」とし、文化・芸術の、国家や経済目的からの自律が定義された。また、「統一調和を本質とし、平和建設に役立つものでなければならない」という平和主義が唱えられた。そして、人間性を尊重する民主主義は芸能文化の栄える地盤であり、芸能文化の栄えるところに民主主義も栄えると論じられた[16]。このように、文化・芸術の自律性と人権、民主主義、

平和建設が一体のものとして尊重されたのである。

　1947年、文部省の教育刷新委員会から、文部省を「文化省」に改組する提案が出された。戦中の文部省の悪しき伝統を除去し、教育を民主化し、かつ国民文化の向上を図るため、学校教育、社会教育、体育、学術、学芸、宗教その他一切の事項を管掌し、現在の文部省を「文化省」に統合するという提案である。終戦直後の日本において、しかもGHQとは別個の独自案として、「文化を最高の原理とする平和日本を建設するため」、文部省の悪しき歴史と決別し、「文化省」としての再生を目指す構想が存在したのである[17]。

　しかし、GHQ側には、この文化省構想を戦前の日本やナチス・ドイツの文化統制を継承するものであるとの危惧があり、文化省は実現しなかった。結果的に文部省は存続し、文化行政は社会教育行政のなかで展開されることとなる。一方で、社会教育法が根拠となって、公民館・図書館・博物館などの「社会教育施設」が整備されていった。

　他方、文化ホール・劇場・音楽堂などの「文化施設」は、2001年に文化芸術振興基本法が制定されるまで、地方自治法の「公の施設」以上の根拠法のないまま建設、運営された。これらの文化施設においては、学芸員や司書や社会教育主事のような専門職の配置も、法制度上の義務とならなかった。

　また、行政当局から教育委員会が独立し、自律的組織となったことで、民主主義の担保としての分権化が行われた反面、文化・芸術振興に関しては縦割り行政の弊害も現れた。文化政策は骨抜きにされ、文化・芸術の振興に行政は関与せず、いわば自由放任状態となった。

　このような貧しい環境の中で、一方で公的支援を得られないまま、民間の文化・芸術団体は苦労を重ねながら、力強く育っていった。他方、文化・芸術は「私事」であり、趣味・道楽の範囲を超える公共性をもたない親密圏という認識（偏見）もまた広まった。こうして、地域（都市と地方）、所得や家庭環境によって、身体的文化資本の格差が拡大していったのである[18]。

文化国家をめぐる議論の変遷

　さて、再び戦前にまで遡って論じるが、先に触れたように「文化国家」と

いう概念はドイツ特有のものであり、当初は法治国家と矛盾するものではなかった。しかし法治国家が肥大化し、官僚システムの発展が大学の研究・教育の内容にまで干渉するようになると、大学の精神の空洞化を危惧する知識人たちから、学問と大学の自治を堅持しようとする動きが強まる。その際に彼らは「文化国家」という概念によって精神文化（教育・教養形成・学問、芸術）を護ろうとした。

　文化国家の概念は1919年のヴァイマール憲法において条文化された。「官僚的君主制が直接役立つ見返りを要求せず、学問と精神の世界に過度に厳しい監督権を行使しないで、学問におしみない援助を与える」。また、「芸術、学問及びその教授は自由である。国は、これに保護を与え、その奨励に関与する」と明記された。[19]

　このようなリベラルな文化国家観は、第一次大戦後の日本においても、野蛮な軍国主義に対抗するものとして紹介された。文明国の間での国際協調を目指すコスモポリタニズムと深く結びつく国家像が、文化国家であった。しかし、1930〜40年代になって、日本の戦時色が強まってくると、文化国家の概念からコスモポリタニズムの側面が抜け落ち、「国防国家こそが文化国家」という言説に変わっていく。1940年10月の大阪毎日新聞の社説「文化政策への新出発」で、岸田國士はこう述べている。

　「現代の国防は一国の科学文化と産業文化との最高の一表現である。ゆえに国防国家として完成せられることは、即ち文化国家としての完成をも意味するはずである」。[20]

　また、岸田が「京城日報」に朝鮮半島統治30年記念として寄稿した記事には、こうある。「国家は個人放任主義を投げうち、個人をして没我的に国家と協同し協力し全体への帰一完成を要請しつつある」。「法治国より出て、この真の意味の文化国家への飛躍こそ朝鮮が現に歩み、まさに到るべき指標であり、個々を滅し全体としての完整により体制翼賛の誠が披瀝されねばならぬ」（一部表記を変更）。[21]

　すでに述べたように、岸田は「官僚主義からの脱却」を掲げていたが、それはドイツにおける大学の自治と学問の自由を保障するヴァイマール憲法に

ルーツがあった。しかし戦時下に至ると、ドイツにおいてと同様、文化国家は法治国家の対抗概念となる。個人主義の滅却に基づく文化国家概念は、全体主義に通じる国家観に変貌したのだ。

　ところが敗戦直後の1945年9月には早くも、文部省の「新日本建設の教育方針」の中で、「文化国家」概念は全く反対の文脈で用いられる。当時の文部大臣、前田多門の回想によれば、本教育方針はGHQの進駐と指導の前に、「完全に自発的、自律的」に起草したものだという。

　「文部省では戦争終結に関する大詔の御趣旨を奉体して、世界平和と人類の福祉に貢献すべき新日本の建設に資するがため、従来の戦争遂行の要請に基づく教育施策を一掃して文化国家、道義国家建設の根基に培う文教諸施策の実行に努めている」（一部表記を変更）。[22]

　終戦後数週間での文部省の変身ぶりには驚く。1946年11月の昭和天皇の勅語にはこうある。「国民と共に、全力をあげ、相携えて、この憲法を正しく運用し、節度と責任を重んじ、自由と平和とを愛する文化国家を建設するように努めたいと思う」（一部表記を変更）。[23]

　しかしながら戦後しばらくすると、新日本の「文化国家」概念は衰退してゆくことになる。中村によれば、その原因は2つ考えられる。

　外的要因：1950年に勃発した朝鮮戦争と軍事特需によって、国家目標が文化国家から「経済国家」へと変化したこと。

　内的要因：1947年に制定された教育基本法の前文で、文化国家ではなく「文化的な国家」という表現が選ばれたこと。原案では「文化国家」としていたが、GHQのチェックで、それはドイツ流の国家概念だとクレームを付けられ、「文化的な国家」と訂正することでやっと了承されたのである。

　戦後日本の文化国家論の特徴を、以下の3点にまとめることができる。
① 文化国家は軍国主義と決別した平和国家である。
② 文化国家の主体は国家ではなく、国民ないし民衆であり、国家は後方支援
　にとどまる。
③ 全体ではなく個人を尊重し、文化活動は個人の自主性に基づくものである。

文化国家とは、自由な個人としての人間を主体とした国家のことである[24]。

　このような戦後期における文化と国家の関係は、しかし、文化・芸術の公共性への市民的合意を妨げる要因ともなった。リベラルな文化国家論が復活した反面、市民・国民の文化・芸術活動は社会教育の枠内に限定された。国民ないし民衆を文化国家の主体とした一方、国家・行政は後方支援にとどまるか、自由放任状態となった。その結果、文化は「私事」という社会通念が広がり、日本特有の「習い事文化」と結びつくことで、余暇における趣味・道楽としての文化観が支配的となった。

　文化・芸術は人々に共通のもの、社会に欠けていてはならないもの、という公共性の認識は形成されなかった。「文化・芸術が公的なものの領域を開く」という社会的合意形成が阻害されることによって、文化的協同性、文化的公共性の衰退、もしくは未発達につながった[25]。戦後日本における文化・芸術への公的助成の根拠が希薄な理由は、ここにある。

1970年代──社会教育から自治体文化行政への転換

　1968年、文部省内部部局の文化局と外局の文化財保護委員会とが統合され、文部省の外局として文化庁が設置された。1979年には大平正芳総理大臣が「文化の時代」及び「地方の時代」を提唱し、「ものの豊かさから心の豊かさへ」の時代が合言葉となった。しかし1980年の大平の急死もあり、国レベルでの文化政策に顕著な変化は生じなかった。1970年代には、国に先んじて自治体文化行政が台頭していた。府県の首長部局に文化課や文化室を設置し、従来、教育委員会社会教育課で所管していた文化事業を、首長部局に移管していったのである。

　文化行政を推進したのは主に革新自治体である。その発信地は大阪だった。1971年に大阪府知事となった黒田了一は、大阪文化振興研究会を設置し、「文化開発」というコンセプトを打ち出し、画期的な自治体文化政策論を提示した。研究会には、梅棹忠夫、木村重信、司馬遼太郎などの錚々たる文化人だけでなく、都市史、経営学、経済史、科学史の専門家やメディア界、財

界からも参加し、計6回の研究討論が行われた。その冒頭で、黒田知事は以下のように語っている。

「大阪には、府民に身近な文化的施設もなければ文化的環境もゼロに等しい。大阪は文化都市らしいものを何一つ持っていないし、大阪の文化は破壊されるばかりで、新しい芽生えを育んでいこうという気運にもとぼしいように思われます。

私自身は、いわゆる投資効率論にとらわれずに、百年先の大阪を夢に描きながら、世界に誇れる大阪にしたいという気持ちをもっています。（中略）

文化というものは行政が梃入れして育てるものではないけれども、少なくとも破壊してはいけません。破壊したのは経済至上主義だと思う。この経済的効率主義と行政とが一体になって庶民の頭、あるいは魂の問題にまで滔々たる功利主義の波で押しつぶしてしまった。（中略）やはり自由人として、あるいは抵抗の人として、思い切った意見をどんどん出していただくということこそ、この研究会の意義があるんだろうと考えています」[26]。

黒田知事の発言には、一方で戦前の文化統制への深い反省がある。他方で、戦後のアメリカ型の経済的至上主義、すなわち功利主義と浮薄な外来文化による日本文化の破壊を食い止めることも行政の責務であるとの認識がある。黒田の都市政策は、まずは公害問題と民生福祉の面での取り組みとなって現れた。戦前の水野和一の社会事業論や文化政策の遺伝子を彷彿させる。「高度経済成長のなかで取り残された人々に暖かい手をさしのべる」行政担当者の責任は、つぎには府民に生きがいを持ってもらうために、文化の面で府としての責任ある体制を打ち立てることに向けられた。

大阪文化振興研究会では、文化人も経済人も、批判精神に富んだ激論をたたかわせている。梅棹忠夫は大阪を「下司なまち」と呼んではばからない。「ここの人は本当に日常性に埋没している。人間のもっている楽しみみたいなものをパッと花咲かせるところが本当にないところです」[27]と手厳しい。梅棹は以下のように持論を展開している。

「工場というものは現代のタンボなんです。農業時代にはおもな生産はタンボで行われた。工業の時代にはおもな生産は工場で行われる。しかし、町

のなかにタンボをつくるアホウがありますか。それを、戦後の大阪はやろうとした。大阪の重化学工業化、こんなバカげた都市政策なんてあるもんじゃない。それによって戦後の大阪は決定的に荒廃した」[28]。

　本研究会は1970年の大阪万博の翌々年に開催されたにもかかわらず、不思議なことに大阪万博の成否については等閑視されている。万博による大阪の文化的再生や文化創造への影響については一切言及されていない。本研究会の討議は、戦後、文化開発を抜きにして、経済開発や都市開発を偏重してきたことの歪みが公害問題を生み出し、また国際社会からエコノミック・アニマルの汚名を浴びせられていることへの反省で一貫している。ただし、関西国際空港ビルディング社長の里井達三良が、経済人の立場から「国際交流と文化の問題」について重要な発言をしている。

　「万博に私が一番期待したのは、これによって日本経済が全世界に知れわたり、大阪との取引が盛んになることではなくて、むしろ、もっと大阪を本当の意味で理解してくれる人が発展途上国の中にふえてくれるということにあった。この点で、小さくはあったが、発展途上国の共同館をつくった効果は大きかったと思うのだが、あれをつくった意欲と情熱は、万博がすんだあとどこへ行ったんだろうかと思う。（中略）万博後の日本と東南アジアとの強くなった結びつきは経済面のみで、むしろそれにつれて起こってきたものは、日本のエコノミック・アニマル性だとか、アグリー・ジャパニーズという反発です。万博以後はむしろ反日的な感情が非常に強くなってきている」[29]。

　大阪の経済人の見識には瞠目すべきものがある。2025年に再び大阪万博の開催が決定したが、私たちは1970年万博後に、関西経済だけでなく、その文化がどのように変わったのか、変わらなかったのか、なぜ万博以後に、むしろ反日的な感情が強くなったのか、それらの実態や原因を問い直すところから始めなければならない。

　さて、科学史を専門とする京都大学の吉田光邦は、民間主導型の文化振興が大阪の伝統としてあることに注目している。ホールは新聞社がつくり、娯楽施設は私鉄が経営してきた点を挙げている。これに対し、京都には民間主導型となるような資本力がないため、「文化観光都市」を旗印に、市当局

が文化施設や芸術大学をつくってきた。京都には「同時に、伝統的に一種の権力主導型あるいは権力追従型」があるという。だが、吉田の考察に対して、梅棹は以下のように噛み付く。

「今日の一つの論点として申し上げたかったのは、ビッグ・プロジェクト化に伴って行政主導型に変わらなければ文化開発はできないのだということです。民間主導ではとっくに限界がきている。限界を超えたから崩壊が起こって大阪はこういうことになっている。ここでは行政当局が文化について奮起してもらわないと困る。民間先導でまかしといたらダメですよということです」[30]。

行政主導型の京都か、民間主導型の大阪か。吉田は、京都が東京と同じく行政主導型のために、京都は東京に似てきてしまったと批判する。しかし大阪の民間主導型は限界にきている、というのが梅棹の見立てだ。ただし、ここでのビッグ・プロジェクトには、その後のハコもの行政に帰着する脇の甘さはなかっただろうか。梅棹の教育＝チャージ、文化＝ディスチャージ論は、当時としては、文化・芸術を社会教育の枠組みから解放し、いわば今日の創造都市論につながる画期的なコンセプトであった。しかしながら、文化水道蛇口論に特徴的なように、梅棹の行政主導への注文には、市民自治の立場から文化行政のあり方を追求する観点は希薄だったように思われる。

梅棹が監修した『文化経済学事始め』は、その副題が示すように「文化施設の経済効果と自治体の施設づくり」をテーマとしている。自ら館長を務める国立民族学博物館を事例に、文化的・経済的価値を経済学的手法で解明した画期的労作であるが、梅棹の文化行政思想の宝庫でもある。文化水道蛇口論とは、どのようにして文化の供給システムをつくるかを論じたものだ。梅棹は「文化というおいしい水を人間の心にどう届けるか、その配管の工夫と水源地の作り方にある」[31]と述べている。

また、「文化行政の役割はいっそ割り切って二つ。ひとつはハードウェア作り、もうひとつは文化行政官の養成である」[32]。博物館、美術館などのハードウェア（器）はかなりできてきているが、そのソフトウェア（運営）がうまくいっていない。そこで、まずは教育委員会と文化行政を切り離して文化課

を首長部局に設置する。そのうえで文化行政担当官を一般職の扱いから専門職へと遇するべきである。

「質の高い文化行政を展開するうえでも文化行政官の養成が必要になっている。京阪奈丘陵に計画されている文化大学校は、文化行政官の養成所を目指している。ここを総国分寺として全国の国分寺へ文化行政官を送る構想である」[33]。

梅棹の文化水道蛇口論とは、全国どこにいても水道の蛇口をひねれば「文化というおいしい水」が飲めることである。ポイントは「その配管の工夫と水源地の作り方にある」。ハードウェア作りとともに梅棹が重視したのは、文化行政官の養成であった。つまり、芸術作品の創造と発信という意味でのソフトウェアよりも、ヒューマンウェアの養成とその配給にあったのである。文化大学校の計画は実現しなかったが、文化・芸術の専門職の養成は、たしかに今日まで引き継がれている課題だ。しかし、水源地と水道の蛇口との関係は、いずれにしても中心（中央）と周縁（地方）の関係を想定させる。梅棹の文化行政論には、自治体文化行政や市民自治・市民文化の観点が希薄なのだ。

実際、大阪府市に限れば、民博や文楽劇場といった国立の文化施設以外には、今日に至るまで公立文化施設はほとんど建設されなかった。むしろ吹田や岸和田といった基礎自治体において、市民文化活動による市民自治の形成が先進的に行われた。特に岸和田市は、マドカホール（岸和田市立文化会館、1984年開館）の事業運営を、1991年に市民主体で設立された岸和田市文化事業協会に委託。これは「岸和田方式」と呼ばれて全国に知られるようになった[34]。

文化行政論の成熟には、市民自治形成への展望が不可欠であった。それでは1980年ごろに成熟期を迎える自治体文化行政論の特徴はどのような点にあったのだろうか。自治体文化行政の理論的支柱となった政治学者の松下圭一は「文化行政の最終目的は、個性的な文化の根付いた地域社会をつくり出すことである」と述べている。そのためには、「これまでの『国家崇拝』と結びついた中央官僚主導という官治・集権型の行政スタイルに対して『地域特性』をいかしうる自治・分権の政治システムの確立が不可欠となった」[35]。

松下はまず官僚主導の中央集権システムを批判する。その上で、地方分権型の政治システムを、市民自治の立場から確立しようとする。この市民自治を育てるのが市民文化であり、その市民文化を生み出す仕掛けが文化行政なのである。

　松下が「文化行政」の戦略として挙げているのは以下の4点である[36]。

① 市民コミュニケーションの増幅（多目的文化施設の整備）

② 地域空間計画の構想（「生活文化」の向上、アメニティの整備）

③ 行政の技術革新（「行政の文化化」、文化の視点で行政全体を見直すこと）

④ 社会教育との決別

　それにしてもなぜ、松下は「文化政策」ではなく「自治体文化行政」を確立しようとしたのだろうか。国家主導・統制型の戦前の文化政策への厳しい反省が、その前提としてある。

　「すでに、東京のオリンピック、大阪の万国博、沖縄の海洋博、筑波の科学技術博という国主導の文化カンパニアが持ち回り方式で動いている。とすれば、やはり、文化行政も官治・集権行政になってしまい、国レベルでの文化官僚の新登場ともなりかねない。特に官僚機構による大衆統制技術、マスコミによる大衆操作技術の過熱をみている今日、これは、国民精神総動員の新しいファッションに堕することにもなる。いいなおせば、これは全体主義の『文化政策』となる。この文化政策は、ナチズムやスターリニズム等、現代独裁の強力な武器であったことを想起したい。

　今日の文化行政の課題は、このような文脈へと変質させられてはならないことをまず確認したい。それゆえ、慎重に、『文化政策』という言葉が拒否されている」[37]。

　ここから松下は「文化行政の三原則」を挙げている。

① 市民自治の原則

② 基礎自治体主導の原則

③ 行政改革の原則

行政革新の原則は「行政の文化化」と言い換えてもよいが、松下の文化行政論の真髄は、それを自治体もしくは地域の総合政策の中枢課題として位置付けたことである。市民自治が経済システムをも再編する、という松下の政治理念の背景には、ジョン・ロックの市民政府論の影響が濃厚である。

　「都市社会の成熟によって問われる中枢課題は、『市民自治』による『市民文化』の形成にほかならない。つまり市民自治による市民文化というかたちにおける、経済・社会・政治の全域にわたる再編である。経済から文化へ、ではなく、経済自体をも、社会、政治とおなじく、市民自治にふさわしく再編しなければならないというのが今日の焦点である。(中略) 文化行政の課題は、市民文化の『育成・指導』つまり施策による市民文化への介入ではない。行政の内部革新としての行政の文化化こそが、その課題である。(中略)

　このようにみれば、文化行政は、市民文化の成熟、さらには行政の文化水準の上昇に応じて不要になっていくことも理解されよう。市民文化の成熟は、自治体レベルから行政自体の文化水準をあげ、官治・集権型から自治・分権型へと行政体質を転換させていく。文化行政は、いわば過渡期の産物なのである。この過渡性のゆえに、現在、文化行政は自治体の戦略的急務となっている」[38]。

　市民文化の形成を通じた市民自治の確立によって、文化行政そのものが、やがて不要になるという松下の展望は、今日で言えば、アソシエーション型市民社会論を先取りしたものである。それは現代のNPO論につながる社会構想であると同時に、歴史的に見れば、すでに19世紀前半のヨーロッパにおいてデザインされていた、もう1つの近代市民社会論の系譜にまで遡ることができる。「ゲノッセンシャフト」によるコモンズもしくはコミューンの再構築である。ゲマインシャフト（地縁的共同体）からゲゼルシャフト（利益社会）へという産業社会の発展形態を超えるアイデアは、プルードンのような思想家だけでなく、ワーグナーのような芸術家によっても根源的に提起されていたのである[39]。

　他方、横浜市での文化行政の経験を踏まえて大学教員となった田村明は、「文化の行政化」の危険をいかに回避するかに顧慮しながら、「行政の文

化」について深く考察している。

「自治体行政は行政のための行政ではない。ひとつの地域をそこに住む自主的主体的な市民が、協力して全体としての環境を豊かにしてゆくためのルールをつくり、共同で仕事をしてゆくことである。それを実際にまとめプロデュースしてゆくために生まれたのが自治体であり、それが便宜上いろいろな行政に分かれているだけである。市民の個々の要求もバラバラであるだろう。しかしそれに個々にふりまわされることなく、共同して何を目的にして何をなすべきかから常に出発しなくてはならない」[40]。

それでは「行政の文化化」という原理は、いかにしたら実現できるのだろうか。ここで田村が挙げている活動原則は、ハンナ・アーレントの考える真の「政治」とも通底している。以下にまとめてみよう。
① 固定観念の排除と柔軟な思考、法令万能主義、前例踏襲主義からの脱却
② 積極的で創造的な意欲「文化とは未来へ向けての闘争である」
③ 総合的視点の確立と独善性の排除「市民の生活や、さらに世界や宇宙にまで目を広げよう」
④ 新しい質、新しい価値の発見と、その実現への行動
⑤ 行政の反省と自治からの再出発

これらの活動原則を踏まえて田村は、自治の本質について以下のように定義している。

「自治とは自主的主体的な市民が自制と共同の力によってよりよき共同環境をつくり、環境を豊かにするすばらしい夢と未来のある仕事である。それを生みだせるプロデューサーであり技術をそなえるのが自治体行政である」[41]。

以上から明らかとなったように、1970年代に関西で生まれた自治体文化行政の理念は、その後の国の文化政策よりもずっと先進的なものであった。その意味では、後発の文化芸術基本法に自治体が学んだり、それに従ったりする必要などない、という意見も首肯できる。2001年に文化芸術振興基本法が成立した際、松下圭一は、その中央集権的な文化政策を批判する先頭に立っていたのである。また、「文化によるまちづくり」は総合政策として展開さ

れ、市民社会形成、地域社会形成、人格形成の相互作用に重点があった。今日のように、経済活性化のための賑わいづくりの観点から「文化によるまちづくり」が唱えられたのではなかった。

小林真理は「自治体文化行政論再考」[42]の中で、松下らの自治体文化行政論の先進性について総括を行っている。それを以下のようにまとめることができるだろう。

① 社会教育の枠組みを超えて、地域社会の文化という空間的・集団的アイデンティティに関わる視点を導入した。

② 分権的視点から、基礎自治体を実践の現場とすることで、地域固有の多様な文化的・歴史的特性を再発見できた。

③ 地域の文化振興は、「市民自治による市民文化の形成」を基本として市民主体によって実現できるとされた。

④ それを実現するには、行政の側も自己変革が必要であり、行政の政策形成や事業実施のあり方を見直す必要性を提示した。いわゆる「行政の文化化」。

⑤ これらの文化行政の原則を通じて、文化の問題が、個人の受容や享受の問題（私事、趣味・道楽）を超えて、より公共的な問題として認識されるようになった。

1990年代──文化ホールはまちをつくってきたのか？

松下らの自治体文化行政論は、一定の成果をあげてきた。公民館・図書館・博物館といった社会教育施設ではなく、公共文化施設を拠点として市民主体のまちづくりを目指す自治体が拡大した。「文化ホールがまちをつくる」が1980年代の合言葉となった。1990年代には全国で、3日に1館のペースで文化ホールがオープンした。

森啓は1991年に『文化ホールがまちをつくる』の中で、以下のように提唱していた。地域に文化活動の芽を育てるために、もっと文化ホールをつくるべきだ。しかし重要なことは、文化ホールは受け身の貸館ではなく、地域を文化的なまちにするために能動的に活動する主体とならなければならない。

そのためには専門スタッフが配置され、市民文化団体とのネットワークが必要である。そのことによって、文化ホールが文化的なまちづくりの拠点になる。さらに森は、文化ホールの運営そのものに関しても、市民と文化団体とホールの職員が協働して決める「共同決定モデル」を提起していた。[43]

さて、「文化ホールがまちをつくる」という合言葉から40年以上が経過した現在、文化ホールによるまちづくりはどの程度まで効果をあげてきたのだろうか。たしかに市民文化団体にとっては、その活動と発表の場として、文化ホールはなくてはならないものだ。また、1970年代から全国の自治体に、いわゆる「文化協会」が組織され、行政との協働が目指された。三曲（お琴、三味線、尺八）や日舞や華道のような伝統文化だけではない。合唱や吹奏楽、演劇や洋舞など西洋芸術の団体も文化協会に加盟している。

文化ホールを活動拠点にしないにしても、美術関係の団体も少なくない。これらの文化団体によって構成される市や県の文化協会は、市民文化祭や市民音楽祭や市民美術展に参加、あるいは「動員」され、「文化によるまちづくり」に不可欠の「市民」となってきた。

しかし、その「市民」とは、いったい誰のことだろうか。文化・芸術を趣味とし、それを生きがいとしている市民の姿はすばらしい。彼らの日常の練習場やハレの舞台が身近にあることもすばらしい。しかしながら、市民文化団体や文化協会に参加している人は、市民・住民のごく一部に過ぎないのが実情だろう。そして、そのような市民の多くは、文化活動を自己実現の機会とすることで満足してしまう。趣味・道楽を超えた「公共的な空間」を開く協同性にまでコミットする人は少ない。もしいたとしても、市民文化団体を代表するレッスンプロたちが、共益的に参画するケースではないのか。公益性や公共性の形式に寄与することは少ないだろう。

松下らが示した自治体文化行政の理念を思い出そう。地域の文化振興は、「市民自治による市民文化の形成」を基本として市民主体によって実現できること。そして文化の問題が、個人の受容や享受の問題（私事、趣味・道楽）を超えて、より「公共的な事柄」として認識されるようになることであった。その意味で「文化ホールがまちをつくる」という約束は、十分に果たされて

こなかったように思う。松下や森が提起した「共同決定モデル」を実現した
自治体、文化ホールの運営にいたってはレアケースだ。代わって登場したの
が「指定管理者制度」だが、そこにNPOなどの市民活動団体が参加できるだ
けの力は残念ながら育っていない。

　何よりも問題なのは、この40年余りの間に、ボリュームのある世代が高齢
化したことである。さらに若者の「文化ホール離れ」が目立ってきた。こう
して文化ホールの維持そのものが難しくなってきた自治体も少なくない。

　他方、野田邦弘は、革新自治体の変容と衰退の観点から、自治体文化行政
の限界を以下のように分析している。「革新自治体が隆盛をきわめた10年間
は、経済の高度成長と重なる。『成長から福祉へ』というのが革新陣営のス
ローガンであったが、福祉は経済成長によって可能となったのであり、経済
成長により増えたパイをいち早く住民に分配したのが革新自治体であった」[44]。

　ところが1970年代後半に入ると、革新自治体の財政は悪化し、福祉予算
がショートし始めると、革新市長や革新自治体への住民の期待は弱まってい
った。「行政の文化化」を成就できなかった理由の1つは、その短命さにもあ
る。「改革に熱心に取り組む職員に報いる人事政策を定着させ、庁内文化や
職員の価値観の変革を進め、新しい公務員としてのエートスを職員が内面化
することが必要であったが、そのために革新自治体に与えられた時間は余り
に短かったといえよう」[45]。文化行政の衰退に代わって1990年代後半から注目
されるようになったのがアートマネジメントである。

2000年代──アートプロジェクトとアートNPO

　大半の若者たちは文化ホールに愛着を持っていない。地方都市で高校まで
を過ごした生徒は、音楽会や舞台鑑賞会などで何度かは地元のホールを訪れ
たことだろう。しかし大学進学や就職で大都市部に出て行った若者たちの大
半は、転入先の公共文化施設には縁のないまま、それとは別の楽しみを見つ
けている。

　他方では、出身地の衰退をどうにかして文化の力で再生したいという健気
な思いから、アートマネジメントを志す若者が増えてきたことも事実である。

ただし、この場合の地域文化の再生は、文化施設を拠点とするという発想に
はとらわれていない。「文化ホールがまちをつくる」を唱えた論客や、旧来
の市民文化団体、文化協会とは明らかにセンスもライフスタイルも異なって
きている。地域特性を活かしたアートプロジェクトや、歴史的文化遺産のリ
ノベーションといったオルタナティヴで柔軟な発想が、若い世代に共通する
特徴である。

　このようなオルタナティヴな発想をもった世代が、どのようにして自由な
活動空間を生み出し、地域社会の中で「公共的な場と事柄」を形成してゆけ
るかが問われている。とりわけ若い世代の関心は、地域に密着した国際芸術
祭やアートプロジェクトに集まっている。屋外やオルタナティヴスペースで
の現代アートのインスタレーション。そこにパフォーミングアーツを組み合
わせることで、公共文化施設との新しい出会いや関係が生まれるのではない
か。その意味で、アートフェスティバルやアートプロジェクトに期待したい。

　1995年に起きた阪神・淡路大震災の救援ボランティアが引き金となって、
1998年にNPO法が成立して20年が経つ。オルタナティヴ世代の多くがアー
トNPOを組織し、従来の市民文化団体や文化協会とは異なる視点から、文
化・芸術と市民社会との良好な関係を追求してきた。アートNPOは、文化・
芸術活動以外のさまざまな領域にコミットし、都市再生や地域創生、教育や
医療、福祉や社会包摂など、社会問題や地域課題に先進的に取り組んできた。
文化・芸術の力で「新しい公共」を紡ぎ出すことが、アートNPOの合言葉と
なって久しい。

　とはいえNPO法から20年、アートNPOの財政基盤はいまだに脆弱なまま
だ。日本社会において「新しい公共」のかたちは断片的にしか現れてきて
いない。持続可能な市民社会を編み上げてゆく草の根の活動は、強い逆風
に見舞われている。大手の広告代理店に丸投げされたイベント文化の津波が、
2025年万博をひかえた大阪に、再び押し寄せてきている。国家的なメガプロ
ジェクトに、市民や学生も、文化団体も、そしてアートNPOも総動員される
可能性は高い。すでに関西の企業・財界は、万博のための分担金を要請され
ている。こうした国家・行政主導のアナクロニズムが跋扈する背後で、バブ

ル崩壊以後の新しい市民社会づくりに地道に取り組んできたアートNPOやマイクロサイズのアートプロジェクトへの支援は、明らかに行き詰まりを見せている。

改正・文化芸術基本法について

　2001年に文化芸術振興基本法が成立する前後、私も含めて多くの研究者が危惧感を表明した。国家主導型の文化政策がもたらした国内外の不幸な歴史に学んできたからである。筆者が現代ドイツの文化政策を調査・研究し、折に触れて日本に紹介してきた理由もまた明白である。[46] 21世紀の民主主義国家においては、分権型、地域主権型、市民自治型の文化政策しかありえないと考えてきたからである。

　文化芸術振興基本法が成立して20年近くが経過した。私たちの危惧は、ほぼ杞憂に終わった。基本法が出来たにもかかわらず、そもそも国の文化予算はほとんど増えなかったのであるから、市民や国民に対する影響も微小だった。変化といえば、文化振興条例や基本計画を策定する自治体が増えた程度である。基本法以前は13の自治体に文化振興条例があったが、現在では約10倍の130前後にまで増えている。

　この間に忘れてならない国の文化法が制定された。2012年に施行された「劇場、音楽堂等の活性化に関する法律」（通称・劇場法）である。文化芸術振興基本法が一般法であるとすれば、劇場法は文化・芸術のうちの実演芸術の振興を規定した特別法に位置付けられる。文化財保護法や社会教育法による社会教育施設、特に美術館、博物館の設置が、1950年頃には法的根拠を持っていたことから考えると、劇場・音楽堂等の根拠法は60年以上も遅れたことになる。しかも学芸員制度のような文化・芸術専門職の雇用については劇場法では義務化されていない。劇場・音楽堂等における専門人材の不足は深刻である。指定管理者制度の導入により固有職員の採用が大幅に控えられるようになり、専門的知識やスキルの継承も困難な状況にある。ただし劇場法の前文には、以下のように重要なことが書かれている。

劇場、音楽堂等は、文化芸術を継承し、創造し、及び発信する場であり、人々が集い、人々に感動と希望をもたらし、人々の創造性を育み、人々が共に生きる絆を形成するための地域の文化拠点である。また、劇場、音楽堂等は、個人の年齢若しくは性別又は個人を取り巻く社会的状況等にかかわりなく、全ての国民が、潤いと誇りを感じることのできる心豊かな生活を実現するための場として機能しなくてはならない。その意味で、劇場、音楽堂等は、常に活力ある社会を構築するための大きな役割を担っている。

　さらに現代社会においては、劇場、音楽堂等は、人々の共感と参加を得ることにより「新しい広場」として、地域コミュニティの創造と再生を通じて、地域の発展を支える機能も期待されている。また、劇場、音楽堂等は、国際化が進む中では、国際文化交流の円滑化を図り、国際社会の発展に寄与する「世界への窓」にもなることが望まれる。

　このように、劇場、音楽堂等は、国民の生活においていわば公共財ともいうべき存在である。（下線は筆者による）

　このように劇場法では、劇場・音楽堂等が地域社会や市民社会、さらには国際社会における「公共圏」を生み出す仕掛けであることが述べられている。「新しい広場」「世界への窓」「公共財」といったキーワードが、それを物語っている。また、劇場・音楽堂等は、常に活力ある社会を構築する大きな役割を担っているとされるが、その場合の活力とは、ことさら経済力や産業振興を意味しているわけではない。むしろ、指定管理者制度の濫用に釘を刺すかのように、以下のような一文も加えられている。

　また、文化芸術の特質を踏まえ、国及び地方公共団体が劇場、音楽堂等に関する施策を講ずるに当たっては、短期的な経済効率性を一律に求めるのではなく、長期的かつ継続的に行うよう配慮する必要がある。

　活力ある社会の構築ということで、おもに意図しているのは劇場・音楽堂等が「まちづくりの拠点となる」という点である。筆者が好む用語で置き換

えれば、「文化的コモンズ」を紡ぎ出す文化拠点として、劇場・音楽堂等を活性化する必要がある、ということになる。

　とはいえ、劇場法が成立した2012年度以降、やはり文化庁の予算は、いささかも増えることはなかった。それまで芸術団体に配分されていた助成金の一部が、劇場・音楽堂等の創造・発信事業の助成金に付け替えられただけである。つまり限られたパイの奪い合いが生じ、実演家の側の団体や協会と、公共文化施設側の協会との、いわば利権争いを引き起こしてしまった。けれども、劇場法の影響は業界内の「コップの中の嵐」のようなもので、やはり市民社会の形成や一般の市民の文化権の向上にとっては無風状態のままである。

　国の文化政策をめぐっては、大きな環境の変化が生じた。2020東京オリンピック・パラリンピックの開催が決定したのは、劇場法以後の2013年である。オリ・パラはスポーツの祭典と文化の祭典の両輪で決定されるため、開催決定以降、オリ・パラの「文化プログラム」をどのようにして実現するかが懸案となった。2012年のロンドン・オリンピックでは、数十万回に上る文化プログラムが成功の鍵となったと伝えられたため、日本側のプレッシャーはますます強まった。

　ロンドン・オリンピックの文化プログラムのサクセスストーリーは「レガシー」という英語のまま日本に上陸し、どこの自治体も「レガシー」を口にするようになった。同時に、英国の「アーツ・カウンシル」という文化・芸術の支援制度こそが、日本も見習うべき手本であるかのように、日本中の文化行政がマインドコントロールされていった。

　「アームズ・レングスの原則」、つまり政府は文化・芸術の振興にお金は出すが、その内容には口を出さない、という原則に注目が集まった。ナチス・ドイツの全体主義的文化統制政策への反省から、戦後、経済学者のケインズによって唱えられた原則と制度であるが、近年の詳細な研究によれば、実際には「綺麗事」にすぎなかったようだ。[47]英国アーツ・カウンシルの方針も、それぞれの政権のイデオロギーによって少なからぬ影響を受けてきたからである。しかし、そのような負の側面は巧みに隠蔽され、おもに政府の対外文

化事業機関であるブリティッシュ・カウンシルによって、「レガシー」という美名と「アーツ・カウンシル」というクリーンなイメージが日本に売り込まれた。レガシーとアーツ・カウンシルの組み合わせは、かなり作為的なものとみてよい。

しかし文化庁は、全国に地方版アーツ・カウンシルを創設することで、日本のレガシーに値する文化プログラムを実現できるものと目論んだ。本来、アーツ・カウンシルはイベントの実施機関（エージェント）ではないにもかかわらず、日本では文化振興財団の中にアーツ・カウンシルを設置する自治体が増えている。このようなハイブリッドな制度化は日本のお家芸のようで、たしかに興味深い現象ではある。しかし、エージェントである文化振興財団と、助成金の審査と評価を行うアーツ・カウンシルが同居、混在する団体の内部で、アームズ・レングスの原則は、いったいどのように確保されるのだろうか。

さて、内外からのプレッシャーを受けて、文化芸術振興基本法の改正案の検討が始まった。文化庁単独での予算が伸び悩む中で、2020年の文化プログラムの実現は困難であるという認識が、議員の中にも広まったものと思われる。2016年1月から1年半にわたり、超党派の文化芸術振興議員連盟によって7回の勉強会と総会が開催された。その後の国会における経緯は迅速だった。2017年5月30日に衆議院本会議で、6月16日に参議院本会議で、ともに全会一致で可決・成立した。2001年の振興基本法と同じく、議員立法によって全会一致で成立したのである。名称も「文化芸術基本法」にかわった。

さて、今回の改正において、①私の立場から高く評価したい点、②社会背景の変化などから理解できる点、③今度の経過を注意しておきたい点に分けて、若干論じたいと思う。まずは高く評価したい項目は、以下の2点だ。

第二条（基本理念）

3 文化芸術に関する施策の推進に当たっては、文化芸術を創造し、享受することが人々の生まれながらの権利であることに鑑み、国民がその年齢、障害の有無、経済的な状況又は居住する地域にかかわらず等しく、文化芸術を鑑

賞し、これに参加し、又はこれを創造することができるような環境の整備が図られなければならない。

　下線は改正で加筆された箇所である。ただし、相変わらず「国民」が主語であり、また文化政策の対象が日本「国民」に限られるような規定には、国際環境の変化に対応できていない日本政府の限界も感じられる。というのも、「文化芸術推進基本計画」(2018.3) の「目標3 心豊かで多様性のある社会」の中では、「文化芸術による社会包摂の意義」について以下のように述べられているからである。

　文化芸術基本法では、「文化芸術を創造し、享受することが人々の生まれながらの権利である」とともに、「国民がその年齢、障害の有無、経済的な状況又は居住する地域にかかわらず等しく」文化芸術の機会を享受することが基本理念としてうたわれている。また、文化芸術は、人々が文化芸術の場に参加する機会を通じて、多様な価値観を尊重し、他者との相互理解が進むという社会包摂の機能を有している。
　こうしたことから、子供から高齢者まで、障害者や在留外国人などが生涯を通じて、居住する地域にかかわらず等しく文化芸術活動に触れられる機会を享受できる環境を整えることが望まれている。（下線は筆者による）

　さらに振り返っておきたいのは、すでに「文化芸術立国の実現を加速する文化政策（答申）概要」(2016.11.17文化審議会答申) において、「文化政策の目指すべき姿」として「居住する地域、年齢、性別、国籍、言葉、障害の有無、経済状況等にかかわらず、あらゆる人々は文化芸術活動に参加できる社会を実現する」と述べられていた点である。「社会包摂」と「共生社会」のための文化政策の原則が明記されていたわけだが、改正基本法では削除された文言に改めて注目したい。
　基本法における文化権の範囲は、「国民がその年齢、障害の有無、経済的な状況又は居住する地域にかかわらず等しく」という文言に反映されてい

る。他方、2016年の文化審議会答申では、「居住する地域、年齢、性別、国籍、言葉、障害の有無、経済状況等にかかわらず」と、その文化権の範囲が規定されていた。ジェンダーや障害の観点だけでなく、国籍や言葉の視点からも、共生社会を実現するための文化政策の目標が明記されていたのである。

　国民国家論の枠組みを超える先進的な文化政策の方針が立てられていたにも関わらず、なぜ改正基本法では、国籍や言葉の問題にフォーカスして国の文化政策をアップデートできなかったのだろうか。この点についは、今後、自治体文化政策のレベルにおいて、他分野との連携を図りつつ、基本法レベルでの難点を克服するほかないであろう。

　同様に、改正基本法において新設された以下の2項目についても注目しておきたい。とりわけ地方自治体の「努力義務」である「地方文化芸術推進基本計画」の策定に際しては、観光、まちづくり、国際交流、福祉、教育など、多様な分野との連携において、実効性のある具体化が切望されている。

　8（新設）文化芸術に関する施策の推進に当たっては、乳幼児、児童、生徒等に対する文化芸術に関する教育の重要性に鑑み、学校等、文化芸術活動を行う団体（以下「文化芸術団体」という。）、家庭及び地域における活動の相互の連携が図られるよう配慮されなければならない。

　10（新設）文化芸術に関する施策の推進に当たっては、文化芸術により生み出されるさまざまな価値を文化芸術の継承、発展及び創造に活用することが重要であることに鑑み、文化芸術の固有の意義と価値を尊重しつつ、観光、まちづくり、国際交流、福祉、教育、産業その他の各関連分野における施策との有機的な連携が図られるよう配慮されなければならない。

再び自治体の役割について

　最後に、自治体文化行政（政策）との関係において、今度の経過に注意しておきたい点は、「特定地方公共団体の長が地方文化芸術推進基本計画を定め、又はこれを変更しようとするときは、あらかじめ、当該特定地方公共団体の

教育委員会の意見を聴かなければならない」という規定である。文化財保護法の改正に伴って、とりわけ観光政策との連携において「稼ぐ文化」が声高に叫ばれるようになったからである。

　しかしながら、1980年頃の自治体文化行政の、あの高邁なほどの理念はどこに消えてしまったのだろうか。本書の序章として日本の文化政策100年の変遷と変容を概観してきたが、残念ながらそれを発展と成熟の歴史であったとみなすことはできない。それだけに、自治体レベルで担い、切り開くべき課題と使命はいっそう大きい。

　ひとたび「文化政策」概念を否定して「文化行政」による新理念を唱えた自治体とその職員が、それから40年近くを経た現在、再び「自治体文化政策」を再構築するならば、その弁証法的止揚のプロセスにおいて、決して忘れてはならない批判的精神がある。その要点を以下に挙げておきたい。本書を読み通していただく際の手引きとなれば幸いである。

⑴ バブル景気とバブル崩壊、グローバル化と新自由主義の40年で、市民と自治体と文化施設・文化団体の職員が見失ってきたものは何か？

⑵ 「文化行政」の目的は、市民自治による市民文化の形成・発展が、経済・社会・政治の全域にわたる再編を実現することにあったのではないのか？

⑶ ところが、文化経済戦略の「嫁ぐ文化」、経済再生・経済成長至上主義が「文化政策」を通して経済・社会・政治の全域を再編しつつある。これによって、総合政策としての文化行政（文化政策）の意味の根本的な変質が生じてきたのではないか？

⑷ いまや「心の豊かさ」から「物の豊かさ」への逆転が生じつつあるのか？　（生活必需品と文化消費とは内実が異なるとはいえ）人間的価値の退行の時代に入ったのではないのか？

⑸ 文化産業とそのプロダクトが人間の本能的欲望を不断に喚起し、一時的な満足を与え続けることによって、文化の経済的価値と引き換えに、人間の主体性と共同性（コミュニケーション能力）の発達が阻害されてきたのではないか？

(6) 現代日本社会は、グローバル化と新自由主義の中で、市民文化の形成による市民自治の確立、市民自治の形成による市民文化の発展という好循環の前提条件が崩壊する危機の時代に陥りつつあるのではないか？

　もとより、筆者が現代ドイツの文化政策から学んできたことは、1970年代の日本の「文化行政」論と、かなりの程度まで通底していた。そこで、拙著『地方主権の国 ドイツの文化政策』において強調した点を、改めて確認させていただきたい。

　「芸術の自律性」を重視すべきか、それともさまざまな社会問題に対処する「芸術の道具主義」的活用を優先すべきか。確かに現在の文化政策は、このような選択肢に直面しているが、二者択一のどちらかに軍配を挙げることは本質的ではない。答えは明快である。地域主権に根ざしたドイツの文化政策は、「人格の自由な発展」を通してこそ、はじめて「地方創生」をも実現できることを、理論と実践の両面から明らかにしている。「創生」とは、創り生み出すという人間活動の能動性を意味する。また「創生」には、自分の生き方（ライフスタイル）を創り生み出すという意味もこめられている。

　文化政策の使命は、一方で市民が自らのライフスタイルを自己決定できる文化・芸術環境を整備することである。他方では、文化・芸術によって地域社会の課題と関わりながら自分の個性を追求する活動そのものがコミュニティを創生し、地域固有の文化・芸術を豊かに育む動因ともなる。このような相互循環によって、いわば「文化的コモンズ」が形成されるのである。換言すれば、カルチュラル・デモクラシー（文化的民主主義）による人間の主体性と地域主権の確立（取り戻し）が可能となるような環境を整備することが、自治体文化政策の役割である。

　文化政策の目的は、「文化的自己決定能力の涵養」にある。その場合の「文化的」とは両義的である。文化についての自己決定能力とは、もちろん地域・コミュニティの住民・市民が文化・芸術に関する事柄を決める主体となる、という意味だ。と同時に、文化・芸術とその活動を通して、文化・芸術以外の事柄に関しても、地域住民や市民の自己決定能力が涵養されること

を意図している。文化・芸術こそが、現代市民社会の平和と民主主義のための基盤だからである。

注

1 野田邦弘『文化政策の展開』、学芸出版社　2014年、10頁以下。

2 徳永高志『公共文化施設の歴史と展望』、晃洋書房、2010年、33頁。

3 新藤浩伸「文化政策論」、小林真理編『文化政策の現在1 文化政策の思想』、東京大学出版会、2018、82頁以下。

4 Kazuo Fujino, Über latent koreanische Einflüsse in der japanischen Gegenwartskultur, in: Matthias Theodor Vogt u.a. (Hg.)：Die Stärke der Schwäche, 2009, Peter Lang 2008, S.49ff.

5 新藤、前掲、89頁以下。

6 賀川豊彦『復刻版 協同組合の理論と実際』、コープ出版2012年、100頁。

7 DVD『日本統治下の台湾——南進台湾』、修復・製作：国立台湾歴史博物館、2008年。

8 武田康孝「文化と政治」、小林真理編『文化政策の現在1 文化政策の思想』、東京大学出版会、2018、5頁以下。

9 武田、前掲、9頁以下。

10 武田、前掲、10頁。

11 中島健蔵「岸田國士の生涯」、『文芸』1954年5月号、24頁。

12 武田、前掲、13頁。大政翼賛会組織局文化部「翼賛文化運動の理念と組織（試案）1941年（『資料集　総力戦と文化　第1巻』、大月書店、2000年、所収）からの引用であるが、仮名遣い等を改めた。

13 新藤、前掲、92頁以下。林達夫「文化政策」、『教育学辞典』、岩波書店、1939年、からの引用。なお林達夫は、戦後の平凡社を支えたリベラルな知識人と見なされている。

14 新藤、前掲、92頁以下。

15 中村美帆「文化国家」、小林真理編『文化政策の現在1 文化政策の思想』、東京大学出版会、42頁以下。

16 新藤浩伸「社会教育」、小林真理編『文化政策の現在1 文化政策の思想』、東京大学出版会、186頁。

17 新藤、前掲、189頁。

18 フランスの社会学者ピエール・ブルデューの「文化資本」論を援用して、平田オリザが広めた概念。本書の77頁を参照。

19 中村、前掲、36頁以下。

20 中村、前掲、39頁。

21 中村、前掲、39頁。

22 中村、前掲、40頁。

23 中村、前掲、41頁。

24 中村、前掲、42頁以下。

25 戦前のリベラルな文化政策論が文化的協同性や文化的公共性をいかに重視していたかは、三木清「文化政策論」に端的に現れている。藤野一夫編『公共文化施設の公共性』、水曜社2011年、329頁参照。

26 大阪文化振興研究会編『大阪の文化を考える』、創元社、1974年、7頁及び29頁。

27 前掲、13頁。

28 前掲、46頁。

29 前掲、110頁。

30 前掲、67頁。

31 梅棹忠夫監修、総合研究開発機構編『文化経済学事始め』、学陽書房、1983 年、7 頁。

32 前掲、10 頁。

33 前掲、14 頁。

34 森 啓編『文化ホールがまちをつくる』、1991 年、学陽書房、145 頁以下、200 頁以下。なお、2002 年に岸和田市に新設された浪切ホールとそれを運営する文化財団の設立、および指定管理者制度の導入による 2011 年の財団の解散という波乱のドキュメントについては、以下に詳しい。（財）岸和田文化財団編著『岸和田市文化財団ドキュメントブック 浪切ホール 2002–2010』、水曜社、2012 年。文化施設・事業の運営主体が、10 年ごとに市民→財団→民間企業へと変転していった岸和田の事例は、自治体文化行政と市民自治との関係が、外部環境とともに変化することのケーススタディとなる。

35 松下圭一「自治の可能性と文化」、松下圭一・森啓編著『文化行政 行政の自己革新』、学陽書房、1981 年、7 頁。

36 前掲、16 頁以下。

37 前掲、8 頁以下。

38 前掲、9 頁以下。

39 藤野一夫「恣意を超えた純粋に人間的なもの──《ニーベルングの指環》における個人と社会の自律的生成」、『ワーグナーシュンポシオン 2014』、日本ワーグナー協会編、東海大学出版部、2014 年、84 頁以下を参照。

40 田村 明「行政の文化化」、松下圭一・森啓編著『文化行政 行政の自己革新』、学陽書房、1981 年、41 頁。

41 前掲、40 頁以下。

42 小林真理「自治体文化行政論再考」、小林真理編『文化政策の現在 3 文化政策の展望』、東京大学出版会、2018 年、87 頁。

43 森啓「文化ホールが文化的なまちをつくる」、森 啓編、前掲、4 頁以下。

44 野田邦弘『文化政策の展開』、学芸出版社、2014 年、29 頁以下。

45 前掲、30 頁。

46 藤野一夫／秋野有紀／Ｍ・Ｔ・フォークト編『地域主権の国 ドイツの文化政策』美学出版、2017 年を参照のこと。

47 小林瑠音「1960 年代から 1980 年代における英国コミュニティ・アートの変遷とアーツカウンシルの政策方針」『文化政策研究』第 9 号、日本文化政策学会編、美学出版、2016 年、7 〜 23 頁。

研究成果報告会 公開シンポジウム基調講演

文化によるまちづくりの可能性

大阪の文化政策への疑問

講師　平田 オリザ（劇作家・演出家）

文化・芸術を活かしたまちづくり研究会　研究成果報告会
公開シンポジウム「Culture & Art × Osaka の持つ可能性」
基調講演
日時：2018 年 3 月 5 日（月）13：00 〜 17：20
場所：マッセ OSAKA　5 階　大ホール

芸術の役割　

　私は劇作家・演出家で、今は大阪大学でアートマネジメントを教えています。大学では、社会における芸術の力や役割を3つに分けて考え、教えています。1つ目は、芸術そ

のものの役割です。音楽で心が慰められたり、絵画で心が落ち着いたり、演劇や映画を見ることで勇気づけられたりします。

　一般住民からすると芸術の役割とは思えない場面もあります。たとえば、カラオケでストレスを解消することです。しかし、カラオケも楽器で演奏され、五線譜によって記録されています。数百年という西洋音楽の長い営みの結晶として、私たちは大衆芸能を受け取っているわけですから、それも芸術の恩恵といえると思います。

　東日本大震災からもうすぐ7年目の春を迎えますが、たくさんのアーティストが日本に来ました。最近の人気者が行っても喜ばれますが、一番人々の心を慰めたのは、長年歌い継がれてきた唱歌やクラシック音楽でした。2011年3月、4月には、東京を中心に関東地方で芸術活動や創造活動の自粛が見られましたが、今私たちが創造活動をやめてしまったら、100年後、200年後の被災者は何によって慰められるのだろうか、と考えます。私たちは、100年前、200年前に書かれた音楽によって心が慰められたり、2,500年前に書かれたギリシャ演劇を見て人間について考えたりします。

　私たちアーティストは、100年後、200年後の地球の裏側の被災者や難民たちのために作品をつくっています。つまり、無形の公共財をつくり続けているということです。これは環境政策に少し似ています。やめてしまうと、今は過去の遺産があるので大丈夫ですが、100年先、200年先の人が困ります。ですから、文楽を見に行ってつまらなかったからといって補助金をカットするのは、政治家としてはいけません。2001年にはタリバン政権がバーミヤンの仏教遺跡をダイナマイトで破壊し、世界中から非難を浴びました。バーミヤンの仏教遺跡はアフガニスタン人だけのものではなく、ましてやタリバン政権のものでもありません。文楽も、大阪が世界からお預かりしている世界遺産であり、これを継承・発展し、次世代に引き継いでいくことは大阪の責任であり、壊してしまってはなりません。

　2つ目は、コミュニティ形成維持のための芸術です。どのような未開の集落に行っても、演劇やダンスの起源になったのではないかといわれる祭りや芸能があります。たとえば東日本大震災で最も被災が激しかった女川町は、

入り江が入り組んでおり、最大40mの津波が来て家屋の7割が流出、人口の8％が亡くなりました。高台移転するしかありませんでしたが、小さな集落の集合体なので、合意形成がなかなかできませんでした。この地域は獅子舞が有名ですが、港に近い公民館に置いてあった獅子頭も全て流されてしまいました。しかし、ここの復興・復旧は早かったです。募金がたくさん集まり、獅子頭そのものを送ってくれた自治体もありました。獅子舞は毎年ゴールデンウィーク前後に行われていましたが、当時は震災から2か月足らずだったので、夏ごろになって復活しました。

そして、お祭りが復活した地域から高台移転の合意形成ができていきました。人間とはおもしろいもので、経済の話だけをしても、もう少し広い土地でなければとか、平らでなければと言い合いますが、何百年と続けてきたお祭りを1回復活させるだけで、「いろいろあるけれど、みんなで移ろう」となります。失ってみなければ分かりませんが、これが隠された芸術の力です。

3つ目は、文化政策としての芸術です。文化政策の場合、税金を使うので、目に見えて役に立つものが必要になってきます。たとえば教育や観光、経済、福祉に役立つことを、限られた財源の中でバランス良く行うことが大事です。癒しとしての芸術が100年、200年単位、コミュニティ形成維持のための芸術が10年、20年、50年単位なのに対し、文化政策としての芸術は3年、5年で成果が出てきます。人口5,000人のまちで毎年5億円のオペラをつくっていたら怒られますが、どれほど小さな自治体でも環境政策が必要なように、文化政策は不可欠でしょう。日本は先進国です。衰えたとはいえ世界第3位の経済大国です。したがって、1つひとつの自治体が国際社会の文化の発展に寄与すべきであり、どうにかして何らかの役割を果たさなければいけません。それを、地域の特性や伝統を加味しながら、バランス良くやっていくことが大事ではないかと考えています。

日本の社会から失われたもの

私は昨日、四国の善通寺に行って、明日は宝塚に行きます。毎日いろいろなところに呼んでいただいています。自宅は東京ですが、東京にいるのは1

年のうち4分の1くらいで、残りの4分の3は国内外で仕事をしています。その中で非常に強く感じるのは、日本の地方都市の風景が非常に画一化してきたことです。真ん中に国道があり、バイパスがあって、バイパス沿いにショッピングセンターができて、旧市街地がどんどんすさんでいっている。1979年に初めてアメリカに行きましたが、そのころのアメリカの風景に非常に似てきた感じがします。1970年代末のアメリカは、ベトナム戦争の影を引きずり、精神的にも経済的にも最も落ち込んでいました。白人中産階級は車に乗ってショッピングセンターに行き、旧市街地はスラム化して昼間でも人が寄りつかない。社会が完全に寸断されたようなまちでした。

　日本はそこまでひどくなっていませんが、空き店舗や空き家にホームレスが住み着いたり、ごみ屋敷問題で、人は住んでいるけれども社会から完全に隔絶された住民がいるということが普通に起こっており、スラム化の一歩手前まで来ています。こういった風景は、金融経済と消費社会が一挙に全国に広がったこの20〜30年で急速に形成されたものです。どこの地方の人でも、安くて良い製品をいつでも手に入れることができるようになりましたが、その利便性を追求するあまり、私たちが失ってしまったものもあると思います。

　何を失ってしまったかというと、旧市街地が持っていた、経済活動からすると一見無駄に見えるけれども社会のシステムとして重要なものです。抽象的なところで言うと、「となりのトトロ」に出てくるような鎮守の森の空間や、女川町のような伝統芸能や神話の継承といった時間を失ってしまいました。

　もう少し具体的に言うと、商店街が寂れていくと、最初になくなるのは床屋と銭湯だといわれています。銭湯や床屋は江戸時代以来のコミュニティスペースで、江戸時代には『浮世風呂』という滑稽本が書かれました。私は東京の駒場という小さな商店街で生まれ育ちましたが、2軒隣が床屋で、今もそこにあります。2軒隣が床屋だと大変です。絶対にそこでしか自分の髪を切れず、他で切ると、ばれてしまうからです。

　家の向かいには東大電気という電器屋があります。電化製品は値段があまりに違うので、大画面テレビなどを大型量販店で買ってきて夜中にこっそり

搬入しますが、床屋はそうはいかないので、どれほど忙しくても1か月に1回予約を取ります。その代わり、朝は30分くらい早く開けてもらったり、夜遅くまで待ってくれたりします。商店街の付き合いは面倒くさいですが、行くと、あそこは少し危ないらしいとか、あそこは相続税が払えないので引っ越すらしいなど、得難い情報も得られます。商店街には個人情報保護などありません。そんなことまで言っていいのかというぐらいの感じです。

　ある一定の年齢以上の方は思い出していただけると思いますが、昔の床屋は、髪を切っている人の横で子どもが一生懸命漫画を読んでいて、その横で「この人たちはいつ仕事をするのだろう」と思うようなおじさんが将棋を指したりしていました。このおじさんたちは、店番をサボって将棋を指しに来ているわけですから、経済活動からすると明らかに無駄な存在です。しかし、このおじさんたちが子どもたちの監視係・教育係という役割を果たしていました。普段元気な太郎君がちょっと落ち込んでいると、「おまえ、学校で何かあったのか」と声を掛けて、そういうところからいじめが発見されたり、青少年の犯罪が未然に防がれたりしていました。

　あるいは、普段は駄菓子屋に10円玉を握りしめて買いに行っている子どもが、あるとき1万円札で買いに来たら、おばさんが注意します。直接言わなくても、お母さんに「お宅のお子さん、1万円札で買いに来たわよ。景気が良いわね」と、少し嫌み混じりに報告したりします。こういったものを私は無意識のセーフティネットと呼んでいますが、今はこれが壊れてしまっています。今日の話は、だから昔に帰りましょうということではなく、ではどうすればいいかを考えていかなくてはいけないということです。

都市部の問題が地方都市に拡散しているのはなぜか

　十数年前に、ある週刊誌が、なぜ地方都市に青少年の凶悪犯罪が拡散していくのかという特集を組みました。青少年の凶悪犯罪は実は増えておらず、むしろ減っています。問題は、全国に拡散していることです。かつては東京や大阪など都心部でしか起こらなかったような犯罪が普通に地方都市で起こるので、地元の方たちのショックが大きいということです。拡散の理由とし

ては、まず、子どもたちの居場所が閉塞化・孤立化していることです。たとえばゲームセンターやネットカフェなどです。特にカラオケボックスは非常に象徴的で、防音・遮音がしっかりしていて外から見えません。かつての銭湯のような学年を超えた交流もありません。そういう場所が青少年犯罪やいじめの温床になっているのではないかということです。

　あるいは、成功の筋道が1つしかなく、そこから外れてしまうとなかなか元に戻れないということも理由の1つとして挙げられます。東京や大阪のような大都市にはフリースクールがあるので、高校に行かなくてもそれほど大騒ぎになりませんし、今は不登校の子どもたちの大学進学率も非常に上がっています。もはや日本は高校に行かなくても大丈夫なシステムになっています。しかし、人口が20万～40万人ぐらいの、要するに県庁所在地レベルの中途半端な地方都市では、いったん引きこもりや不登校になると元に戻りにくく、問題が深刻化してきています。

新しい大学入試について

　こういった問題は不登校の事例だけではなく、エリート層でも問題になっています。これを加速化させるのではないかといわれているのが2020年の大学入試改革です。ご承知のように、2020年にはセンター試験が廃止され、1次試験は非常に基本的な学力や知識、技能を問うようなものを、2次試験は大学に入ってからの学びの伸びしろ・潜在的学習能力を問えと、文科省は大学側に言っています。これは、そもそもむちゃ振りです。そんなことがわかっているなら高校のときにやっておいてくれという話です。思考力、判断力、表現力は今までも言われてきたことですが、最近急に言われ始めた主体性、多様性、協働性を問うような試験もしろということです。主体性と協働性は時に相反しますから、どういう試験で、どうやっていっぺんに問うのかというのが問題です。

　私は、香川県善通寺市にある四国学院大学の学長特別補佐も務めています。善通寺市は人口約5万人で、四国学院大学は全学生1,300人の非常に小さな私立大学です。地方の私立大学は人口減少が激しいので、放っておけば確実

につぶれます。四国学院大学は生き残りを懸けて、前倒し実施ということで数年前から新制度入試に取り組んでいます。どういう問題なのかも公表しています。

　たとえば、これは実際に7〜8年前にオックスフォード大学で出た問題ですが、レゴで巨大な戦車を8人1組でつくれというような問題も大学入試に出てきます。どういう能力を見るかも公表しています。「自分の主張を論理的・具体的に説明できたか」「ユニークな発想があったか」という主体性や、「タイムキープを意識し、議論をまとめることに貢献したか」「地道な作業をいとわず、チーム全体に対して献身的な役割を果たせたか」という協働性をいっぺんに見る試験をします。

　実際に出した問題を1つ紹介します。「以下の題材で、ディスカッションドラマを作りなさい。2030年に日本が財政破綻・債務不履行状態になり、国際通貨基金の管理下に置かれました。国際通貨基金からは、本四架橋が3本通っているけれども、3本も要らないので、そのうち2本を廃止しなさいと言われました。では、どの2本を廃止しますか。兵庫県、岡山県、広島県、徳島県、香川県、愛媛県の各県代表と司会1人の7人1組でディスカッションドラマを作りなさい」という問題です。

　四国学院大学はそれほど偏差値の高い大学ではありません。ほぼ全入の大学です。その大学でなぜこのレベルの設問を出せるかというと、その日に会った18歳の7人が別室に連れていかれるとコンピュータが2台置いてあって、検索可だからです。わからないことがあれば全て調べられるので、検索可の方が高度な問題が出せます。今どき鎌倉幕府が何年に開所されたかを覚えておく必要はありません。全国の中学生が定期試験のときに「俺の人生で、これを覚えておく必要があるのかな」と、内心突っ込みを入れていると思いますが、検索すればいいのです。

　この試験は7人1組ですが、コンピュータは2台しか置いてありません。初めて会った人の中で誰が検索するか、いつ検索するか、得た情報をどう使うかが問われます。採点の基準は、検索がうまい子が良い点数が付くのではありません。もちろんうまければ加点はしますが、一番評価されるのは「検索

平田オリザ (アジア・アーツマネジメント会議 2017 での講演：於沖縄県立芸術大学)

がうまいね。じゃあ俺はメモを取る」というふうに、自分の役割をきちんと
担えた子です。こういったシステムの入試が進んでいくと、地域間格差が広
がるのではないかということが、教育の世界では考えられています。

　今、東京を中心とした中高一貫校は、雪崩を打ってアクティブラーニング
という演劇的手法などを使った授業を展開しています。地方の公立高校はこ
こに全く追いついていません。改革が間に合っていません。このまま行くと、
東京の中高一貫校と灘高校ぐらいしか東大に行けなくなるのではないかと、
高校の教育界では真剣に議論されています。

　私は大阪大学で入試改革の担当をしていますが、私が20人ぐらいのチーム
のリーダーで、教員たちに「宇宙兄弟」という漫画を全巻買って読んでくだ
さいと言いました。「宇宙兄弟」というのは、JAXA と NASA の宇宙飛行士を
集める試験が描かれた漫画です。今までの試験は、その時点の学生の知識や
情報の量を問い、1番から20番が合格、21番以降は不合格としてきましたが、
宇宙飛行士はそうではありません。命のやりとりができる仲間（クルー）を集
めなければならないので、試験ではいろいろな要素が問われます。ピンチの

ときにジョークを言って共同体を和ませられるか、斬新な意見でピンチが切り抜けられるか、どれほど良い意見を言っても日ごろの地道な作業に参加していないと信用されないなどということです。また、いろいろな人を集めなくてはいけません。グーみたいな者がいて、チョキみたいな者がいて、パーみたいな者がいるなど、いろいろな個性が集まらなければ共同体は成り立ちません。

　日本の大学の試験も恐らくそうなっていくと思います。なぜなら、これから大学の授業も雪崩を打ってアクティブラーニング化していくからです。議論やワークショップなど、ディスカッション型の授業が増えていきます。今や知識や情報はネットでいくらでも得られるので、反転授業といって、そういうものは家で身に付けて、大学というのはディスカッションをしたりともに学ぶ場になっていきます。世界中のトップエリート校は完全にそうなっています。ハーバード大学も、マサチューセッツ工科大学も、京都大学も、授業の内容をどんどん公開しています。そこで得られる知識や情報は世界共有の財産ですが、それでもハーバード大学やマサチューセッツ工科大学に来て、ともにディスカッションすることが大事なのです。

　そのときに重要なのは、誰と学ぶかです。当然、多様性が必要です。同じような偏差値、同じような家庭環境、同じような思想を持った子たちだけが集まってもディスカッションになりません。アメリカの大学は、学力だけで採るのは上位20％ぐらいで、一番下の20％は寄付してくれる人たちです。IB（国際バカロレア）認定校は私立なので非常にはっきりしていて、公言しています。残りの6割は多様性を重視していろいろな人を採ります。そうしないと授業がおもしろくならないからです。恐らく日本の大学もそうなっていくと考えられています。

　私は大阪大学で入試改革を10年くらいやってきたので、世界中の入試を調べてみました。そうすると、みんな受験準備のできない問題をつくるのが難しいと言っていました。受験準備のできない問題をつくるのが難しいということは、そういう問題をつくろうとしているということで、高校側からすると受験指導・進路指導ができなくなるということです。今までなら、神戸

大に行くなら英単語を4,000語、大阪大学なら5,000語、京都大学なら6,000語覚えなさいと言われて、素直に信じて勉強して模擬試験を受けていました。そしてA判定、B判定、C判定と出て、進路指導の先生から「おまえはここが第1志望で、ここが滑り止め、ここが記念受験だ」と指導されてきたわけです。

　しかし、レゴで巨大な戦車をつくれというのはA判定もB判定もありません。これからは、1～2年の受験準備では太刀打ちできないような試験、つまり地頭を問うような試験になってくるということです。こういう能力のことを、社会学の世界では「身体的文化資本」と呼んでいます。たとえばセンスやマナー、言葉遣い、味覚、コミュニケーション能力です。それから、私が考えた概念で言うと、人種や性差に対する偏見がないことです。

　わかりやすく言うと、男尊女卑の非常に強い家庭で育ち、中高一貫男子校で過ごし、大学入試で18歳の男女が集まって議論したときに、弁の立つ女の子にわーっと言われたときに「女は黙っていろ」と一言言ったら、その子はそこで不合格です。そのような試験は今まではありませんでした。大阪大学の試験にも京都大学の試験にも、ジェンダーなどという科目はありませんでした。しかし、今、文科省は大学側にアクティブラーニング化しろ、ディスカッション型の授業をしろ、大学に入ってからそういう学びについていける子を選べと言っています。きちんと議論できない子や偏見の強い子は試験の段階でお断りということになります。

　身体的文化資本は、20歳ぐらいまでに形成されるといわれています。わかりやすい例は味覚です。味覚は12歳ぐらいまでに形成されるといわれています。ファストフードばかり食べさせていると、舌先の味蕾（みらい）がつぶれて微妙な味の判別ができなくなります。身体的文化資本は、基本的に、良いもの・本物に触れさせていくしかないと考えられています。それはそうです。味覚を植え付けさせるのに、おいしいものとまずいもの、危険なものと安全なものを両方食べさせて、「ほら、こっちがおいしいでしょう」と教える親はいません。おいしいもの・安全なものを食べさせ続けることによって、まずいもの・危険なものを吐き出す能力が生まれます。

骨董品の目利きもそうです。有名な鑑定番組に出ている鑑定士のような人を育てるには、本物・良いものだけに触れさせるそうです。そうすると偽物を見抜く力が培われます。身体的文化資本は後天的に培われる能力ではなく、センスですから、できるだけ若いうちに良いもの・本物に触れさせるしか、この力を養うことはできません。

　だとしたら、私がやっている演劇やダンス、ミュージカル、オペラなどのパフォーミングアーツは、圧倒的に東京の子が有利です。大阪でも見ることはできますが、大阪には大阪の問題があります。さらに地方に行くと、舞台芸術に関してはアクセスの機会が100倍ぐらい違います。たとえば六本木や赤坂がある東京都港区は、小学校4年生をサントリーホールに全員招待します。また、世田谷区は日本語教育特区という認定を受けていて、区立小・中学校では週に1回、国語以外の言語活動という授業があります。野村萬斎さんが芸術監督を務める世田谷パブリックシアターという公共ホールがあり、そこに依頼すると区の予算でアーティストが学校に派遣されます。世田谷区内の3分の1の小・中学校が、プロの俳優や狂言師から毎年授業を受けています。

　もっと言うと、演劇やダンスが本格的に習える高校は全国に50校ありますが、そのうち6割が東京と神奈川に集中しています。東京、神奈川、大阪、兵庫で8割です。大阪は咲くやこの花高校、兵庫は宝塚北高校などです。都道府県によっては、人がいないのでコースさえ開設できません。それほど格差が広がっているということです。

　もう1つの問題は経済です。経済格差が教育格差に直結するということは新聞でご覧になっていると思いますが、文化活動の差はもっと大変です。教育の格差は学校にさえ来てくれれば発見されて、この子は頭が良いのに家が貧乏で大学に行けなくてかわいそうだとみんな思います。本当に優秀なら奨学金などで助けてあげることもできます。しかし、文化活動の差は発見すらされません。親がコンサートや美術館に行く習慣がなければ、全校実習や公的な支援がない限り、少なくとも小学生が子どもだけで行くことはほぼありません。

ここに大阪の問題があります。大阪にはアクセスの機会があります。そうすると、行く家庭と行かない家庭で、ものすごい差が付いてしまうのです。特に大阪周辺部の自治体の方たちは、身体的文化資本に差が付きやすいです。みんなが行かないなら一律です。これはこれで東京との差が付いてしまうので問題ですが、大阪は、一つの学校の中でも身体的文化資本の格差が付きやすい状態です。

　日本は明治以降、150年かけて、教育の地域間格差がない素晴らしい国をつくってきました。しかし、文化の地域間格差と経済格差の2方向に引っ張られて、子どもたち1人ひとりの身体的文化資本の格差がものすごく広がっています。これが大学入試や就職にも直結する時代になってきています。ここを解決しなければ、東京一極集中が解決しないと思います。これは経済だけの問題ではありません。東京が文化を握ってしまっているので、そこに若者たちはブラックホールのように吸い寄せられているのです。

地方自治体の事例

　そのことに気付き始めた自治体があります。たとえば岡山県の奈義町です。鳥取との県境にある人口6,000人の小さな町ですが、2年前から公務員採用試験に演劇を導入しています。演劇をやらないと公務員になれないという時代です。ここはそれだけではなく、きめ細かい子育て支援と教育政策によって、3年前に合計特殊出生率2.8という日本一の町になりました。2点台後半というのは沖縄の離島ぐらいしかなく、驚異の数字です。この年だけでなく、昨年も速報値で2.4ぐらいまでいったそうですから、相当高い数値で推移しています。

　からくりは簡単です。隣に人口10万人の津山市があります。大阪の皆さんは職場の沿線に住むと思いますが、岡山県の県北は完全な車社会なので、津山で働いている人たちは車で30分圏内ならどこに住んでも同じです。そうすると、当然、結婚や出産、家を建てるときに、どの自治体に住むかを選びます。そのときに一番大きな要素が教育、医療、そしてスポーツなどを含めた広い意味での文化です。子どもがそういうものを享受できて、自分にも楽し

みや居場所があるという環境づくりを徹底的にやったことによって、奈義町は合計特殊出生率2.8になりました。津山で働いている若い世代が雪崩を打って奈義町に住み始め、その人たちが3人目、4人目と子どもを産んでくれるので、これだけの特殊出生率になっています。

　それだけではありません。奈義町は、こども歌舞伎をすることによって、農村歌舞伎をずっと守ってきました。小学校3年生は全員学校で歌舞伎を経験します。奈義町の子たちはおもしろいのです。スポーツ少年団などでワゴン車で遠征に行くと、飽きてくると普通はしり取りなどをしますが、奈義町の子たちは、1人が歌舞伎のせりふを言うと、みんな唱和します。「知らざあ言って聞かせやしょう」というせりふで有名な「白浪五人男」を全員言えるのです。身体的文化資本がものすごく蓄積されています。

　鎌倉幕府が何年に開所されたかを覚えておく必要がないと言いましたが、これからはみんなが知っていることをたくさん知っている人よりも、みんなが知らないことをなぜか知っている人の方がモテます。そのほうが価値がある。なぜか歌舞伎のせりふが言える、なぜか百人一首が全部言える、などといった要素の方が大事になってきます。

　それから、6,000人の町ですが、建築家の磯崎新さんが設計した現代美術館と図書館を持っていて、この周りを子どもたちが走り回っています。要するに、身体的文化資本が蓄積されやすいまちづくりになっているということです。しかも、昨年はその隣に窯焼きピザ付きのイタリアンレストランを町で誘致しました。昼間から大行列です。Iターンで成功している町には、おしゃれなカフェやイタリアンが必ずあります。子育て世代のお母さん方に好かれる町でなければ入ってきません。そのお母さん方が一番心配するのが、教育や医療、そして広い意味での文化です。

　ここに気付いた自治体と気付いていない自治体で、大きな差が付き始めています。たとえば北海道の東川町は気付いています。旭川の隣町で、人口減少に歯止めが掛かり、今は反転しています。一時は8,000人台だったのが6,000人台まで落ち込みましたが、今は7,000人に回復しています。今後も確実に回復していくと考えられています。東川町は1994年から「写真甲子園」

という、高校生の写真の甲子園大会を守っています。東川町は写真文化首都を名乗っていて、写真については東京ではなく東川が日本の中心です。そういうまちづくりが、実際に人口減少対策に直結する時代になっています。

　要するに、文化政策や教育政策のプライオリティが劇的に変わり始めているということです。奈義町も、自然とアートのまちづくりにより、今は人口減少が底を打って、このまま行けば反転するのではないかと考えられます。

どのように新しい「原っぱ」をつくっていくのか

　重層性のない社会は、息苦しくて生きづらい。経済効率だけでやると重層性がなくなって、たとえばいじめの問題が出てきます。かつても学校でいじめはありました。しかし、子どもの居場所は学校だけではなく、「ドラえもん」に出てくる原っぱのような世界がありました。原っぱでもジャイアンのような子がいじめをしますが、こちらは学年を超えた交流です。ガキ大将は、自分の子分がいじめられているとわかると、仕返しに来たりしていました。しかし、今は子どもたちの世界にガキ大将や仕返しはありません。学校での時間が長いので、そこでいじめられてしまうと不登校や引きこもり、極端な場合は自殺に走ってしまいます。子どもにとっても大人にとっても、重層性のない社会は息苦しくて生きづらいです。

　では、原っぱをつくれば子どもたちが戻ってくるかというとそうではありません。日本の子どもは世界一忙しいので、私たちが現代社会や市場原理とどうにか折り合いをつけて、新しい原っぱをつくっていく必要があります。その1つが、私たちが仕事をしているような劇場や美術館、音楽ホールです。あるいはフットサルやミニバスケットのコート、図書館かもしれません。図書館は非常に改革が進んでいて、どんどんコミュニティスペースにつくり替えられています。引きこもりの人でも、コンビニと図書館なら行けるという層があります。図書館に談話室をつくり、できればカウンセラーやボランティアの人も配置して、そこに引きこもりの人が来て話せるようになったら、「絵本を持ってきて、子どもに読み聞かせでもやってみない？」と、社会参加を促します。

これは居場所と出番という考え方です。今までの日本の政策は、居場所づくりと出番づくりをばらばらにやっていました。これをつなげる必要がありますが、そのときに公共文化施設の役割は非常に大きくなります。

　今まで日本の社会は、非常に強固な共同体をつくっていこうとしました。行政もそれを指導し、町内会、消防団、商工会議所が組織されました。しかし、それではもう無理なのです。夏は盆踊り、秋は祭り、冬は餅つきに全部参加させられるような強固な共同体には、みんなうんざりしています。

　若者は都会の文明性に憧れて大都市に出ていきます。しかし、高度な文化・芸術活動や環境保護運動、スポーツ、ボランティア活動という自分から主体的に参加したいと思うアクティビティに関しては、車で30分圏内なら人々はストレスなく移動するということは、どんな統計を見ても明らかです。今までの中心に向かった強固な共同体や、誰もが誰もを知っている社会ではなく、少し緩やかな、誰かが誰かを知っているようなネットワーク型の社会に、日本の社会を編み替えていく必要があります。

　そう考えたときに、編み目を接点に演劇や音楽、美術、図書館、フットサルがあります。「あのおじいさんは気難しそうに見えるけれど、ボランティアをやらせたらきめ細かい」「あのブラジル人はいかつくて怖そうに見えるけれど、子どもにサッカーを教えるのがうまい」など、何かのアクティビティを通じて、誰かが誰かを知っているという社会につくり替えていく必要があるということです。

　ヨーロッパの多くの都市は、文化による都市の再生に取り組んでいます。アートスペースをつくり、そこをコミュニティスペースにしていくわけですが、そのときに、必ず社会的弱者が社会参加しやすいような場所にしていきます。これの象徴的な例は、ホームレスプロジェクトといわれているものです。ホームレスの人たちに、月に1回シャワーを浴びてもらい、バザーで集めた服に着替えてもらって、コンサートや美術展に招待します。ホームレスの人たちは、生まれつきホームレスなわけではありません。したがって、精神活動の側からホームレス対策をしていこう、マインドを変えていこうということです。

ホームレスプロジェクトは、皆さんにとっては遠いイメージかもしれませんが、私は日本で似たようなことをやっています。東京の駒場で、こまばアゴラ劇場という小さな劇場をやっていて、そこで7〜8年前から失業保険受給者・雇用保険受給者に大幅な割引を実施しています。これはヨーロッパの美術館やコンサートホールなら普通に行われている施策ですが、日本ではほとんど行われておらず、むしろ逆の施策がされてきました。平日の昼間に失業者が映画館や劇場に来たら、求職活動を怠っているということで、雇用保険を切ってしまうような政策をしてきたのです。生活保護世帯が劇場に来たら、税金で食わせてもらっているのに、と後ろ指を指されるような社会をつくってきました。こういったことは、高度経済成長の時代の雇用政策によるもので、この時代は半年も我慢すれば必ず良い職に就けたという背景があります。

　今は、日本人は真面目なので失職するとハローワークに通いますが、なかなか自分に合った仕事がありません。そうすると中高年の男性は、自分は社会に必要とされていない存在だと思って引きこもってしまいます。日本社会の大きな問題の1つは、中高年の男性の引きこもりと孤独死・孤立死です。孤独死・孤立死は社会全体にとっても大きなリスクであり、コストにもなります。その家の臭いはひどくて周りの人のショックも大きく、その部屋には誰も住まず、周りの人も引っ越してしまいます。勝ち組であるはずの不動産所有者にとっても、個人で抱えきれないリスクとコストになります。

　私たちは、失業者が平日の昼間に劇場や映画館に来てくれたら、「失業しているのに劇場に来てくれてありがとう。社会とつながっていてくれてありがとう」というふうに考え方を変えていかなければいけません。その方が、最終的に社会も行政も、リスクやコストを軽減できるからです。社会保障費や高齢者の医療費を軽減・削減したりして、将来的なコストを軽減するという発想が、これからの行政にとってはとても大事です。もうかることばかりを考えていても、日本社会はもう無理なので、どれだけ負担を減らしていけるかが政策としてとても重要になってきます。その発想は、今までの行政にはほとんどありませんでした。

人間を孤立させず、つなげていくという考え方を、文化による社会構築といいます。日本は地縁・血縁型の社会でしたが、それが戦後に壊れました。それに取って代わった企業社会も、1990年代以降に企業がグローバル化する中で労働者を守る必要が全くなくなり、日本は世界の先進国の中で最も人間が孤立しやすい社会になっています。最後のセーフティネットである宗教がないのです。ヨーロッパのホームレスは最後は教会に駆け込みますが、日本にはそれがありません。それを、文化によって社会とつなぎ止めていくと、社会全体にとっても利益があります。これは、強欲資本主義でもない、福祉のばらまきでもない、第3の道です。これを選択するのか、いわゆるニューリベラリズムに行くのかが、今、問われていると思います。そうは言っても、これは経費を削減する話であって、プラスにはならないので、最後にプラスになる観光の話をしたいと思います。

大阪が観光で生き残るためには

　観光学の世界には、大阪病という言葉があります。大阪は万博の成功体験があまりにも強かったために、外からの集客に頼ることをたくさんやってきましたが、オリンピックも来ず、サミットも来ず、世界陸上は尻すぼみに終わりました。ユニバーサル・スタジオ・ジャパンは今でこそ景気が良いですが、最初は大変なことになっていました。実は今でも、ディズニーランドやユニバーサル・スタジオ・ジャパンは経営基盤が非常に厳しいのではないかといわれています。大阪病の最たるものが、道頓堀にプールをつくるという計画です。これは病としか言いようがありません。

　もちろん成功例もあります。たとえば上方落語の寄席である天満天神繁昌亭は、小さいですが、まちを元気にして通行客を増やしています。あるいは、コンテンポラリーアートの祭典もそうです。同じ時期に、同規模の自治体である横浜では「開国博Y150」をやって大赤字になってしまいました。今どき広告代理店丸投げの地方博を横浜のような民度の高い場所でやったので、地域の人に全く愛されないものになりました。要するに、地域の人に愛される住民参加型でなければ、こういうものは成り立たないということです。

大阪以外の成功例も紹介します。金沢の宿泊客数は平成14年に上がり、また下がっています。平成14年は「利家とまつ」が放送された年です。大河ドラマは1年しか持たないのです。金沢は兼六園という1アイテムに頼っていた典型的な日本の観光都市ですが、1980年代に海外旅行と団体旅行の減少により長期低落傾向になりました。ところが平成16年からV字回復し、平成19年には「利家とまつ」の年を抜きました。これは21世紀美術館効果だといわれています。

　私の分析では、兼六園は17時までですが、寒い地域なので17時まで兼六園にいる人はいません。14〜15時の日が落ちる前に団体観光バスで加賀温泉や和倉温泉に行ってしまいます。しかし、21世紀美術館は18時までです。カフェやショップは20時までです。周りの交流ゾーンは22時まで開いています。金沢自体は繁華街においしいものがたくさんあるので、夜までいる場所ができたことで、一定数が金沢に残るようになったということです。

　小澤征爾さんが音楽監督を務めていたオーストリアのウィーン国立歌劇場は、法律で毎日違うオペラをやることが決まっています。そんな大変なことをなぜやるのかというと、世界中からウィーンに集まってくる音楽好きたちをとどめておくためです。ウィーンでオペラを見た後、観光客はせっかくヨーロッパに来たということで、翌日はローマやパリに行ってしまいます。そこでも良いオペラをやっています。しかし、毎日違う演目をしていれば、ウィーンにとどまり、昼間は別のまちに行くことができる。ザルツブルクに行ってモーツァルトハウスを見たり、チロルに行って「サウンド・オブ・ミュージック」の舞台を見たり、あるいはミュンヘンまで足を伸ばして美術館を見て帰ってきて、毎晩オペラを見て、ホテルに泊まって食事をします。

　オペラを見るような富裕層なので、最低でも1日5万円は落とすと考えると、ウィーン国立歌劇場のキャパシティは2,000人なので、それだけで1億円です。年間250日やれば250億円です。そこにホテルやレストランの雇用が生まれ、また消費が生まれます。それだけの波及効果があれば、税金で毎日違うオペラをやっていても全く問題ありません。

　ヨーロッパは今、完全なLCC（ローコストキャリア）の時代です。移動コスト

をかけずに、昼間はパリでエッフェル塔に上って、夜はウィーンでオペラを見ることが普通にできるようになりました。したがってヨーロッパの観光は、夜の文化政策に力を入れています。逆に言うと、昼間は力の入れようがないのです。エッフェル塔は動かせませんし、昼間の観光にかけるお金は、たかがしれています。夜泊まってもらわないと、お金が落ちません。夜どこに泊まるかは、その時間帯に文化的な催しがあるかどうかに懸かっています。

　昔は男性しか旅行せず、財布も男が持っていたので、観光地のそばに歓楽街をつくっておけばよかったのです。しかし、今は家族で旅行し、財布は奥さんが握っています。ですから、子どもと一緒に楽しめる、参加体験型でハイカルチャー・ハイスペックのものが用意されていなければ観光都市としては生きていけません。これをヨーロッパの各都市は競っているわけです。

　そう考えれば、大阪が生き延びる道は明らかです。これほどの大都市で、これほどの世界遺産に囲まれているまちは世界でも非常に珍しいです。京都、奈良、高野山、堺の天皇陵古墳、姫路城、足を伸ばせば広島、瀬戸内海があります。そういうものに囲まれているのですから、大阪は夜の文化的な政策をきちんとして、泊まってもらうまちになればいいのです。昼間は京都でも奈良でも行ってきてもらって、帰ってきたら夜は大阪で楽しんでもらうということです。元々大阪は豊かな食文化という勝ち目があるわけですから、道頓堀にプールなど必要ありません。

　カジノは確実に失敗すると思います。なぜなら、アミューズメントと一体型でないカジノは生き残っていけないからです。アメリカにもゴーストタウンになっている場所がたくさんあります。なぜラスベガスだけが一人勝ちしているかというと、相当早い時期からスポーツとアミューズメントのまちに切り替えて、家族で行ける場所になっているからです。家族で行くと、お父さんも「ちょっと行ってくるから、おまえたちはここでショーを見ていろよ」と言って、ばくちに行けます。そういうまちにしなければ生き残れません。

　シンガポールはまさにそうです。シンガポールは、かつては買い物天国でしたが、シンガポールドルが上がっていって、それは無理になったので、徹

底的に文化政策にお金をつぎ込みました。たとえばシンガポール交響楽団は東南アジア一のオーケストラです。お金の力で最高のオーケストラをつくり、周辺のお金を持ちつつある中国系の人たちが何度でも来たくなるまちにしています。シンガポールは何もないので、1回来て、マーライオンを見たらそれで終わりです。しかし文化があるので何度でも来ます。その最後にカジノをつくったので成功しました。そう考えると、文楽をやめてカジノをつくるというのは明らかに政策矛盾です。百歩譲って、カジノでもうけて文楽を支援するならまだあり得ますが、文化のないところにカジノは成立しません。

　富良野市はご承知のように北海道最大の観光地です。1970年代から、ラベンダー畑を第1次産業から第3次産業へ見事に転換させました。私は毎年のように呼んでいただいて、富良野市内の全小・中学校で演劇を使った授業を行っていますが、15人ぐらいの中学校に、30人ぐらいのお父さんとお母さんが見学に来ます。お母さんだけではなく、お父さんも農作業を休んで見学します。自分たちは農家だし、自分の子どもにも農業を継いでもらいたいと思っているけれども、これからの日本の農業は高価格・高品質の付加価値で勝負していくしかないので、どういう作物をつくるかという発想や、消費者のニーズをくみ取る柔軟性、どう売っていくかというコミュニケーション能力が農家ほど必要になってきます。農業の人こそクリエーティブ産業の感覚を非常に強く持っているということです。

　自分たちの文化や誇りが何で、そこにどのような付加価値を加えればよそから人が来てくれるかを自分たちで考える能力がないと、あっけなく東京資本あるいはグローバル資本に集約されていってしまいます。今は資本主義の黎明期ではありません。資本家が労働者にむちを打って収奪する時代ではなく、文化力の差によって収奪が行われています。私はこれを文化の自己決定能力と呼んでいます。この文化の自己決定能力はどこから来るかというと、身体的文化資本やセンスです。30億円もするゴッホの絵を買ったら人がどんどん美術館に来るからといって、買ってしまった自治体がたくさんあります。

　一方で、今ならジェームズ・タレルの絵は5,000万円、ヤン・ファーブルの絵は3,000万円で、この2つを組み合わせて参加体験型にすればお客さんが

来ますというのが、センスと自己決定能力です。本当に来るかどうかは、やってみなければわかりません。金沢の21世紀美術館も、なぜ伝統工芸のまち金沢に現代美術館なのかということで議会は猛反対でした。しかしつくったわけです。リスクを負って未来への投資をしたのです。これが自己決定能力です。

　絵画の市場価格や偏差値は、他人あるいは東京、グローバルが決めた尺度です。それに合わせるのか、自分たちの尺度でまちをつくっていくのかは、鶏が先か卵が先かの話ですが、その決定能力を育てるには身体的文化資本がないと駄目です。だったら結局、東京の方が有利ではないか、という話になってしまうので、この負の連鎖をどこかで断ち切らなければいけません。

　そのためには、教育政策と文化政策を連結させて、子どもたち1人ひとりの身体的文化資本が培われるような教育政策にシフトしていく必要があります。これが、まさに冒頭に申し上げた大学入試に象徴されているということです。大学入試もこれから変わっていきます。特に文化政策担当者の方には、今はもしかすると日本にラストチャンスかもしれないぐらいのチャンスが訪れていると捉えていただいて、日々の仕事に取り組んでいただければと思います。

自治体は文化・芸術に対して何ができるのか?

　これまでの文化・芸術政策では、文化・芸術の活動そのものを活発にすることが文化・芸術振興だと考えられてきた。その結果、多くの自治体において「活動の場を提供するために公共文化施設を整備する」「文化・芸術団体の活動資金を支援するために補助金を交付する」などといった施策に予算

文化政策グループ ○04
文化・芸術は「まちづくり」における「かすがい」
なのではないだろうか?

が投じられてきた。また、イベントの集客やまちの賑わいを生み出すため文化・芸術が手段として利用されてきた。

　そのような中、少子高齢化や人口減少が進行し多くの自治体が厳しい財政状況に置かれるようになり、従来の文化・芸術政策に対して、「特定の人たちの趣味に公金を使ってよいのか」「文化・芸術団体だけが潤っているのではないか」といった指摘や批判が出るようになった。また、自治体が文化・芸術を振興することの意義や、文化・芸術に対して予算をかけることの必要性が問われ始めた。

この先、自治体が地域の文化・芸術の振興を考えるに当たっては、「公金を使って文化・芸術政策を行う意味」や「文化・芸術政策を実施することの公共性」を説明できなければならない。そのためには、文化・芸術の真の価値を見直すとともに、従来とは異なる視点から文化・芸術を捉え政策に反映させる必要がある。

　文化政策グループの研究は、「自治体は文化芸術に対して何ができるのか？」「自治体は文化・芸術で何ができるのか？」という問いを基にスタートした。

　多くの自治体では、文化・芸術の活動そのものを活発にすることが文化・芸術の振興だと考え、活動そのものを支援する施策を行っている。また、文化・芸術をまちおこしの手段と捉え、観光振興策と連携させて交流人口を呼び込み、定住人口を増やすという施策を展開する自治体もある。確かに文化・芸術はまちおこしの起爆剤として効果的であり、さまざまな事例がその有用性を示している。しかしながら、文化政策グループでは、「真の文化・芸術振興とは、文化・芸術活動そのものを活発にすることだけではない。文化・芸術が人間性や自律性の涵養に寄与し得る点に着目し、生活の中に文化・芸術を上手く取り入れ、その力を活かして"まちづくり"や"ひとづくり"を進めることが、より良い社会の構築につながる。そして、結果的に文化・芸術の振興にもつながる」という視点から、自治体の文化・芸術政策を考えるべきではないかとの議論に至った。この視点に立つことにより、「優れた文化・芸術に触れることは、衣食住と同様に人間生活の必要条件である」ことを説明できるようになるとともに、自治体が文化・芸術政策を実施することの意義を説明できるようになるのではないかと考えた。

　このような議論を踏まえ文化政策グループでは、本研究会において「文化・芸術を活かしたまちづくり（ひとづくり）を進める上で、自治体が政策としてできることは何か」を見極めることを目的として2年間研究を重ねた。

　1年目の研究では、「文化・芸術を活かしたまちづくり（ひとづくり）の政策として、自治体ができることの1つに、条例・計画・ビジョンなどの"方針"を示す役割があるのではないか」という問いを立て、条例等を策定してい

る自治体を視察し、文化・芸術に関わる市職員やNPOなどにヒアリングを行った。その視察では、"方針"を示して文化・芸術政策を進めることの必要性や、文化・芸術が自治体のさまざまな施策において「かすがい」として影響を与える様子を確認した。

　2年目の研究では、条例・計画・ビジョンなどを策定することの必要性とともに、文化・芸術がまちづくり（ひとづくり）の場面において持つ「かすがい」としての役割に着目し、方針等を示して文化・芸術政策を実施する自治体と、文化・芸術を活用して施策を実施する自治体を視察し、文化・芸術の「かすがい」としての効果と、その活用方法を確認した。

条例や計画の効果はあるのだろうか？

　1年目の研究では、「自治体の重要な役割として、条例・計画・ビジョンなどの"方針"を示すことがあるのではないか」という問いを解明することを目的に調査を行った。まず、文化振興のための条例を制定し、かつ、条例に基づき"計画""方針""ビジョン"などの文化政策の指針等を策定している自治体について予備調査を実施した。その中から、条件を満たしている自治体（福岡県 宗像市）を選定し、ヒアリング調査を行った。また、自治体側の状況だけではなく、実際に現場で活動している民間団体等の状況も確認する必要があると判断したため、文化振興のための条例等を制定している自治体内において活動している民間団体（NPO法人　太宰府アートのたね）にもヒアリング調査を実施した。さらに、行政と民間のどちらの立場からも文化・芸術活動に関与した経験を持つ個人として、元福岡市職員であり、現在はNPOの代表として各自治体の文化・芸術政策に関与している人物（NPO アートサポートふくおか　古賀弥生）にヒアリング調査を行った。

文化・芸術は「まちづくり」における「かすがい」なのではないだろうか？

　2年目の研究では、自治体が文化・芸術政策の条例・計画・ビジョンなどの方針等を示すことの必要性や重要性を見出すことができた。また、文化・芸術が人に対して持つ力を「かすがい」として、自治体の施策・事業に活か

す（まちづくり・ひとづくりを進める）ことが、ひいては文化・芸術の振興にも寄与するのではないかとの考えに至った。

　1年目の研究で得られた知見をより深く考察するため、方針等を示し文化・芸術施策を実施する自治体（新潟県 新潟市）と、文化・芸術を「かすがい」として活用し施策を実施する自治体（新潟県 十日町市）を対象にヒアリング調査及び施設見学を行った。

NPO アートサポートふくおか
文化・芸術が持つ可能性を活用した「まちづくり」と「ひとづくり」

──行政と民間の双方の立場で文化・芸術に関わった方に話を聞く

　「アートサポートふくおか」は、文化・芸術のつくり手・受け手・ささえ手をつなぎ、文化・芸術を身近に楽しめる環境づくりを目指して活動している団体である。

　また、代表の古賀弥生は元福岡市職員で、市役所在職中からアートマネジメントを学び、文化・芸術を活かしたまちづくりの実践活動を行っている。福岡市退職後は、「アートサポートふくおか」の活動だけではなく、さまざまな自治体の文化・芸術に係る審議会の委員として、行政の文化・芸術政策にも関わっており、“行政”と“民間（市民・団体）”の双方の立場で、文化・芸術を活かしたまちづくりに関わった経歴を持っている。

　自治体の文化・芸術政策について、その施策の方向性や、行政と民間の連携のあり方、また、自治体が文化・芸術振興を担うことの意義・可能性などを考えるに当たり、古賀が得た知見は参考になると考え視察調査を実施することとした。

　「アートサポートふくおか」では「芸術体験サポート事業」として、子ども向けの芸術体験事業、高齢者の芸術体験コーディネート事業、ホームレスの就労自立支援のためのコミュニケーション講座、「アーティスト・カタロ

グ」の制作などを行っている。また、「アートと地域をつなぐ人材養成事業」として、「芸術文化のまちづくりゼミ」の開催、他団体（大学等）のアートマネジメント人材育成事業等への協力、文化政策・アートマネジメント・文化のまちづくり等に関する研修・講演等への講師派遣などを実施している。

　一方で古賀は、宗像市・古賀市・筑紫野市・春日市などの福岡県内の自治体だけではなく、長崎市や佐世保市などにおいても文化・芸術振興に係る自治体の方針や計画等の策定に関わっている。

　これらの事業・活動を通じて、文化・芸術を活かしたまちづくりを進める上で古賀がどのような知見や所感を得たのかヒアリングを行った。

──任意団体だからこその機動力の良さ

　アートサポートふくおか（以下、ASF）は法人格を持たないNPOとして、2002年1月に活動を開始した。当初は、3年を目途に法人格を取得する予定だったが、活動を実現するためのミニマムな組織を考えた時に、法人格を持たなくても活動に支障がないことや、任意団体だからこその機動力の良さもあり、この形で15年活動している。「ASF＝古賀弥生」という形で活動しており、事業の企画・運営・事務は古賀がほぼ1人でボランティアに近い形で行っている。

　役員はアーティストを始め、民間企業経営者・自治会関係者・行政関係者など、これまでの活動の中で知り合い、ASFの活動に賛同・協力してくれる人たちに依頼し、事業の公共性を担保する観点から、役員からは年1回の総会や日々のメールなどを通じてASFの活動に対する助言をもらっている。また、イベント時の手伝いなどにも協力してもらっている。

　協力会員は議決権を持たないが、ASFの活動に賛同・協力する人なら誰でもなることができ、ヒアリング時点で20名ほど入会している。年会費は3,000円で、会員にはメーリングリストや年4回のニュースレターで情報提供を行っている。

——外部から行政に働きかけること

　古賀は以前、趣味で演劇をやっており劇団の運営などにも関わっていた。その経験の中で文化活動には資金も必要だとわかり始め、「メセナ」に興味を抱くようになった。これをきっかけにアートマネジメントを学ぶ必要性を強く感じ、福岡市職員として働きながら慶應義塾大学のアートマネジメント講座に聴講生として通い始めた。

　当時、福岡ではアートマネジメントを本格的に学んでいる人は少なく、自分の学びを他の人たちとも共有しなくてはならないと思うようになった。そこで、アートマネジメントに興味を持つ人たちを集めて市役所内に研究会を立ち上げ、業務時間外に勉強会などの活動をするようになった。その活動が徐々に知られるようになり、アートマネジメントに取り組む外部の人たちともネットワークを持つようになった。

　福岡市在職中、文化・芸術に対し「行政」の立場からどのような支援ができるのかを考えてきた。しかし、研究会の活動を行う中で、自身の立場を変え外部から行政に働きかけることで、福岡市のアートマネジメントを変えていこうと決心し、福岡市役所を退職してASFを設立するに至った。

——子どもや高齢者のための芸術体験

　ASF設立時、古賀の子どもたちが小学生だったこともあり、子どもには非常に関心があった。そのような中、子どもたちの学校の図工・音楽の時間がおもしろくないと感じ、何とかしたいとの思いから学校への芸術家派遣事業をNPO活動の柱とし2002年より10年間取り組んだ。

　当初は子どもが通う学校や、そこからつながった他の学校などを対象に事業を実施していたが、3年ほど行ったところで福岡県の目に留まり、ASFが県の芸術家派遣事業のコーディネートを担うこととなった。その後、久留米市の芸術家派遣事業のコーディネーターを務める中でコーディネーター養成事業も実施した。

　古賀は自身の父親が施設に入所していたこともあり、徐々に高齢者にも関心を持つようになった。その中で、美術・ダンス・演劇などの芸術は高齢者

の潜在能力にアプローチできるのではないかと感じたことから、子ども向けの芸術体験事業で培ったネットワークを活かし、高齢者施設への芸術家派遣事業を始めた。

古賀が宗像市市民文化・芸術活動審議会の委員を務めていることから、同市は高齢者施設への芸術家派遣事業を行っている。当初は、ASFの事業として実施していたが、2016年度からは、「宗像市文化芸術のまちづくり10年ビジョン」において、「文化芸術の他分野への活用」が謳われたことから市の事業として予算化し実施している。

福岡市就労自立支援センターと協力し、ホームレス予備軍（住居・仕事・収入がないが、就労すれば自立が見込める人）を対象に就労自立支援のためのコミュニケーション講座（フォーラムシアターという手法を用いた演劇ワークショップ）を実施している。

この講座は科研費対象事業となっており、古賀は現場のコーディネートを担うだけではなく研究分担者として成果検証も行い論文を発表している。

この事業に関して古賀は、ニートと呼ばれる若い人たちにも応用が可能ではないかと感じており、内容をブラッシュアップしてさまざまな課題を持つ人たちを対象に実施したいと考えている。

コーディネーター養成講座「芸術文化のまちづくりゼミ」は、受講者（毎年10～13名程度）から受講料を徴収し2006年から実施してきた。2016年は、福岡女子大学において「地域の可能性と向き合うアートマネジメント講座」として実施している。この講座は地域でアートを活用したまちづくりを企画運営する人材を育成するために、福岡女子大学が文化庁「大学を活用した文化芸術推進事業」の採択を受けて実施しているものである。古賀は本講座の事業マネージャーとして計画段階から参画している。

他にもASFでは以下の事業も実施している。

設立記念行事や事業の周年行事として、各種フォーラムを開催している。2016年には、ASF設立15周年記念として「芸術と医療・福祉のしあわせな関係づくりフォーラム」を開催し、事例報告及び意見交換を行った。

「乳幼児（赤ちゃん）のための初めての芸術との出会い」事業は、別のNPO

が実施しているがASFは成果検証に関与している。対象者の保護者にインタビュー調査を実施する中で芸術は「子育て支援」の分野においても活用できるのではないかと古賀は考えている。

　また、アーティスト・カタログを地域の学校や施設・公民館などで芸術体験ワークショップを実施できるアーティストや団体を広く紹介するツールとして作成している。以前は冊子形式で発行していたが、現在はWEB版を作成しホームページに掲載している。

──文化・芸術と「人の活性化」と「まちの活性化」

　ヒアリング調査では、ASFや古賀の活動内容を確認する中で、文化・芸術を活かしたまちづくりについて古賀のさまざまな知見や所感を聞き取ることができた。以下が古賀から聞くことのできた内容である。

　自治体の文化・芸術政策に対して思うことは、文化・芸術の力を地域や社会に活用したい場合、文化・芸術自体が元気でないと成り立たない。行政は「育ってきた稲の稲穂の部分だけを刈り取る」ようなことをやりがちだが、文化・芸術施策においてそれをやってしまっては良くない。

　文化・芸術施策では、行政は「土を肥えさせて、そこから豊かな稲穂が実る」ように考える必要がある。「稲が伸びるか伸びないか」は、その活動をしている団体の力次第である。行政は「土壌を肥やすこと」だけ実施し、それ以上のことをやる必要はない。そして、「実った稲穂を文化関係ではない人も含めて市民全体にどう還元していくのか」について、行政は考えなくてはならない。

　文化・芸術を活かしたまちづくりは、「人が元気になる（QOLや幸福度の向上など）」と「まちが元気になる（経済の活性化など）」の2つの視点に分解して考えた方がいい。文化・芸術はエンパワメントやQOLの向上に貢献するものであり人を元気にする力を持っている。

　本当の意味での市民（自立的に考え、動き始めることができる人）になれるのは、QOLが向上している人たちである。そのまちの人たちが、ちゃんと幸せに生き、元気になって余裕ができ、まちのことを考えて活動するようになれば、

経済の活性化にもつながるかもしれない。

　まちは経済的な面だけ元気になっても、人が元気（幸せ）にならなくては意味がない。まちづくりの最終目標は、そのまちの人たちが元気になることである。経済（の活性化）はそのためのツールである。

　文化・芸術は「人の活性化（教育や医療・福祉など）」と「まちの活性化（観光や産業振興など）」のどちらにも働きかけることができる。だから、「人の活性化」と「まちの活性化」は連環させなくてはならない。双方の橋渡しをして「人の活性化」と「まちの活性化」を両輪にしてうまく回せるようになると、「文化のまちづくり」になる。しかし、「人の活性化」と「まちの活性化」の橋渡しは難しい。この部分に関しては行政のデザインが必要かもしれない。

　地域で活動しているNPOの中には「行政は縦割りだから仕事がしにくい」と言う人たちがいるが、そうであればNPOが自ら動いて役所内の関係部署をつなぐ役目を担ったらいい。NPOは行政と一緒にやりたいことがあるのだったら、関係する部署に自分たちからアプローチしていけばいい。

──自治体の計画やビジョンに明確な位置付けがあれば民間も動きやすくなる

　地域で活動している文化団体の人たちや市民は、自治体が策定する計画やビジョンの存在をあまり知らない。計画やビジョンの策定に関わる立場としては、地域で活動している文化団体のことはあまり想定しておらず、そのまちの市民のために策定していると古賀は語る。

　地域で活動している立場としては、宗像市を例にすると、ビジョンで明確にされているからこそ高齢者施設への芸術家派遣事業ができると考えている。自治体の計画やビジョンに明確な位置付けがあれば、行政はその事業を実施しなくてはならないし、民間も動きやすくなる。

　市民や団体にアドバイスをする際は、その自治体が持っている条例や計画を必ず確認するように伝えている。そして、条例や計画で明確にされている場合は、そこにうまくリンクするような事業計画書を書いて行政に提案するよう助言している。条例や計画に位置付けがあると提案しやすい。

　行政の仕事の多くはプランニングである。行政にはまず大きな方針をつく

る（グランドデザインを描く）ということをやってもらいたい。

　文化・芸術に関しては、以前は文化活動を盛んにすることが文化振興だと考えられていたので、文化団体の活動の場をつくるために公共文化施設の整備がされてきた。しかし最近は公共文化施設を取り巻く状況も変わり、文化・芸術の活用においても新たな動きや流れが出てきている。それに合った方針を策定できるよう、文化振興に関わる行政職員には勉強してもらいたい。

──補助金の制度やシステムを見直す必要性

　文化団体の中でも単に趣味でやっている人たちが集まる団体などにはインフラ整備（公共文化施設を整備する等）以外の助成は必要はないと古賀は語る。

　現在、文化団体に補助金などで助成するのが一般的だが、「仲間内で使って喜んでいるだけで、その活動が市民には還元されていない（市民のための活動にはなっていない）」という事例があることを思うと弊害が多い。地域の文化団体に助成するのであれば、その活動の公共性を問うなど補助金の制度やシステムを見直す必要がある。

──文化・芸術は地域に存在するさまざまな課題を解決するためのツール

　これまでの文化・芸術政策では、古賀の話にもあったように、文化・芸術の活動そのものを活発にすることが文化・芸術振興だと考えられてきた。その結果、「活動の場を提供するために公共文化施設を整備する」「活動の資金を援助するために補助金を交付する」といった施策が多くの自治体で行われてきた。

　しかし、このような自治体の施策に対して「その恩恵を直接受けられる文化・芸術団体などが潤うことはあっても、その先に存在する地域の住民などには施策の効果が波及していない」との指摘がある。また、少子高齢化が進み人口減少に入った昨今、どの自治体も厳しい財政状況に置かれており、自治体が文化・芸術施策に資金を投じる必要性や文化・芸術施策そのものを実施することの意義などが問われている。

　このように、地域の文化・芸術振興を考えるにあたって従来の手法をとる

ことが難しくなってきている。自治体は、「公金を使って文化・芸術施策を行う意味」や、「文化・芸術施策を実施することの公共性」を説明できるようになるとともに、従来とは異なる視点から文化・芸術を捉え施策に反映させなくてはならない。では、自治体は文化・芸術をどのような視点で捉えればよいのだろうか。ASFの活動にはそれを探るためのヒントがある。

ASFの活動において、文化・芸術そのものが目的ではない。あくまでも、人を幸せにし、人生を豊かにするための「手段」の1つである。また、地域に存在する教育や福祉などのさまざまな課題を解決するための「ツール」でもある。

たとえば、高齢者施設への芸術家派遣事業では、芸術を活用することで失われたように見えた高齢者の能力・感情が呼び起されるという。また、ホームレスのコミュニケーション講座では、演劇ワークショップを通じて人とのコミュニケーションに課題がある人たちの行動や考え方が変化するという。さらに、乳幼児のための芸術事業では赤ちゃんが芸術に反応を示し、それを見た親が子どもへの接し方について気づきを得るという。

このように、文化・芸術は赤ちゃんからお年寄りまで幅広い世代の人たちに対して、好影響を与えることができる。また、文化・芸術を活用することで、人は、その人が持つ能力を発揮し行動できるようになる可能性がある。文化・芸術には自立した「ひと」を育てる力があると考えられる。

古賀が得た知見は、「自治体は、まちづくりの基礎として、ひとづくりにも目を向ける必要がある」ことを示唆している。自治体は、文化・芸術が人や社会に対して持つさまざまな可能性を理解し、それを活用することで、より良い「ひとづくり」や「まちづくり」ができるのではないだろうか。

そのためには、まず、文化・芸術を活かしてどのような「まち」や「ひと」をつくるのか、その将来像を明確にしなくてはならないだろう。目指す将来像を明確にすることで、地域で活動する文化団体やアーティストは自分たちが「まちづくり」や「ひとづくり」のためにどう動けるのかを判断できるようになるからだ。

自治体は、条例や基本計画・ビジョンなどの方針を策定し、その「まち」

が目指す方向性を示すことができる。よって、文化・芸術政策においても自治体は"方針"を策定することで、文化・芸術を活かしたまちづくり（ひとづくり）の将来像を明確に示すことができるのではないだろうか。また、その役割を担う必要があり、さらには担うことを期待されているのではないだろうか。古賀の知見もそれを裏付けるものだと考えられる。

——文化・芸術はさまざまな課題の解決に活用できる

今回の視察調査では、文化・芸術を活かしたまちづくりを進める上で自治体が文化・芸術を取り扱う意義を説明するために必要な視点を確認することができた。特に、教育・福祉などの分野において文化・芸術は「ひと」に作用する力があり、さまざまな課題の解決に活用できる可能性があることは、文化・芸術を活かしたまちづくりを実践する多くの自治体職員にアイデアと勇気を与えてくれるだろう。

また、古賀は自身の活動について「自分が関わり続ける必要はないし、ASFという組織が残る必要もない。自分が関わったところで人材が育ち、知識・経験・人脈などが引き継がれて、ASFで生まれたものが次へと派生していけばいい」と語っていた。この考え方はNPOなどの民間団体に限らず、自治体の施策や事業の継続を考える際にも、新たな視点を与えてくれるものではないだろうか。

そして、古賀の「NPOが自ら動いて役所内の関係部署をつなぐ役目を担ったらいい」という言葉も印象的であった。自治体の施策は政治的・財政的な要因で継続が困難となる場合がある。また、自治体では人事異動が行われるのが常であり、担当者が変わったことで事業の継承ができなくなることも多々見受けられる。しかし、自治体は古賀のような外部の団体や人材とつながり協働し続けることで、それらを介して施策の方向性や目的を関係部署間で共有できるだけではなく、それらを次の体制へ継承することも可能ではないだろうか。また、体制が変わっても施策や事業を継続していくことができるのではないだろうか。この視点は文化・芸術政策に限らず、自治体のさまざまな政策においても応用可能であり、参考にしたい。

福岡県 宗像市

文化・芸術振興施策の意義

――明確なビジョン

宗像市は2009年度に「宗像市文化芸術振興条例」を制定し、2010年度に「文化芸術でもっと宗像が好きになる」を目指すべき将来像に掲げ、「宗像市文化芸術のまちづくり10年ビジョン」を策定している。

10年ビジョンは2011年度から2015年度までを前期計画、2016年度から2020年度までを後期計画と位置付けている。

このビジョンは、文化芸術基本法を受けて制定した「宗像市文化芸術振興条例」の具体策を示しており、「市民が文化芸術を鑑賞・体験できる環境づくり」「文化芸術の作り手の活動支援」「文化芸術を活用したまちづくりの推進」などの重点プロジェクトの取り組みを通して、最終的には市民が「文化芸術でもっと宗像を好きになる」ことを目指している。

今回の視察では、宗像市において長く文化・芸術政策に関わる磯部輝美部長と文化スポーツ課担当者を訪問し、文化芸術振興条例やビジョンが果たす役割について話を聞いた。また、2011年度にスタートしたこの計画も2015年度で前期5か年が経過したことから、この前期計画の成果・課題などについて、どのように総括しているのかをヒアリングするとともに、「後期計画」(2016年度からの5か年)におけるプロジェクト等の展開などについて調査を実施した。

――文化・芸術を積極的に活用した総合的なまちづくり

時の情勢に左右されない永続性のある文化振興事業を行おうと2009年度に市の文化振興計画を策定することになり、最初の計画の考え方のもとになる条例を策定し、引き続き「宗像市文化芸術のまちづくり10年ビジョン」を策定した。

そして、この条例の定めに基づき2011年3月に「宗像市文化芸術のまちづ

くり10年ビジョン」を策定し文化・芸術の振興を通じたまちづくりを行っており、「文化芸術活動団体助成事業」「文化芸術の他分野への活用」「宗像ユリックスの拠点機能強化」など、文化・芸術を積極的に活用した総合的なまちづくりを進めている。

　宗像市では宗像ユリックスが市民の文化・芸術の拠点として、芸術の鑑賞機会の提供を行ってきた。また文化協会は「芸術祭」「吹奏楽祭」「文化祭」などの公演活動を通じて地域文化の推進役を担ってきた。国においては2001年に文化芸術振興基本法が施行され、地方自治体の責務が明文化された。

　このような状況の中、宗像市の文化・芸術の役割や機能を再認識し、宗像市の特性や魅力を活かしながら、今後の文化・芸術振興に取り組むに当たっての基本的な方向性・指針を策定する必要性があり条例を策定することとなった。

──市民文化・芸術活動審議会の委員の重要性

　審議会の委員は、市が専門分野に応じて選定。市民代表については一般公募である。

　この市民文化・芸術活動審議会が活発に議論し市に提言して市もそれを受け入れる体制を取っている。委員には地元の教育大学の教員に加えて、市の担当者がNPOアートサポートふくおかの古賀によるアートマネジメントの講演を聞いたことから就任を依頼している。そのつながりから、アートに関するさまざまな分野で活躍する委員が集まり広い視点から提言がなされ事業に結びついている。

──条例や10年ビジョンを策定することのメリットとデメリット

　条例やビジョンを制定することにより、首長が変わることによる「文化振興施策の推進」の停滞の抑制につながる。また、「文化振興施策の推進」は幅が広く抽象的な部分が多いが、10年ビジョンを策定することにより市の文化振興施策を体系化することができた。

　10年ビジョンを策定するに当たっては、文化振興条例の中で市の文化・芸

術の振興について、基本理念や文化・芸術の範囲、市民、行政、民間団体等の役割を示していたので、10年ビジョンでも同一の内容を期すことができた。そして、10年ビジョンを策定したことにより、市と公益財団法人宗像ユリックスと同じ方向性を持って文化・芸術のさまざまな事業に取り組むことができている。

デメリットについてあえて述べるとすれば、市の財政状況が厳しくなり文化振興で予算が付かない状況になったときに、文化関係団体から条例やビジョンを逆手に取られる可能性がある。ただし、その先に新たな提案が上がれば大変喜ばしいと担当者は語る。

── 公益財団法人宗像ユリックスとの連携

公益財団法人宗像ユリックスは「宗像ユリックス総合公園」及び「宗像総合市民センター」の指定管理者である。市文化協会の事務局を担っており、2016年度は市から補助金208万2,000円を交付。芸術祭、吹奏楽祭、文化祭、伝統文化継承事業（小中学校への出前授業、親子体験教室）などを連携して実施している。

── 条例や10年ビジョンを策定したことにより事業化された施策

宗像市の文化の中核施設として設立された「公益財団法人宗像ユリックス」が、「施設まで足を運べない方にはこちらから赴こう」をモットーに体系的にコミュニティ・センターや保育所、幼稚園、小学校、中学校、福祉施設等でアウトリーチ事業を実施している。これにより、多くの人たちに文化・芸術を鑑賞する機会を生み出している。

たとえば、市内小学4年生を対象に宗像ユリックスでクラシックコンサートを開催し、小学生の間に本物の文化・芸術に触れる機会を提供している（小学4年生文化芸術鑑賞事業）。

また、高齢者施設等の入所者のQOL（生活の質）の向上を目的に、市内の高齢者施設で文化・芸術ワークショップを開催している（2014年度から実施）。

——幼児や小学生を対象とした事業

　小学4年生文化芸術鑑賞事業は市・公益財団法人宗像ユリックス・民間団体（九州管楽合奏団）がそれぞれ自立心を持ち、率先して活動を行っている。九州管楽合奏団は公演前に全ての小学校において事前学習を行う。また、市民文化・芸術活動審議会の指摘により、音響が良い中ホールにて2回に分けて公演を行っている。また、アウトリーチ事業（すくすくコンサート）や伝統文化継承事業（小中学校への出前授業、親子体験教室）を実施している。

——明確なビジョンを基に子どもから高齢者までの文化・芸術振興を推進

　宗像市の文化・芸術振興は「文化・芸術を通したまちづくりをしたい！」という担当者の熱い思いが形になった結果である。「宗像市文化芸術のまちづくり10年ビジョン」の1つひとつの事業にはそういった思いが詰まっている。たとえば、「小学4年生文化芸術鑑賞事業」について、九州管楽合奏団は公演前に全ての小学校へ事前学習を行っているが、音楽を発信するだけでなく、公演に参加する子どもたちの環境を学ぼうとする姿勢に驚いた。また、宗像ユリックスの大ホールで公演を行えば全ての参加者を一度に収容できるにも関わらず、市民文化・芸術活動審議会の指摘により、音響が良い中ホールにて2回に分けて公演を行っている。公演が一度ですまないうえ、子どもたちの送迎バスの手配も何度も必要となる。たとえどれだけ時間と労力がかかっても、子どもたちに本物の音楽に触れてほしいという温かい思いが感じられた。この「小学4年生文化芸術鑑賞事業」は宗像市、宗像ユリックスが連携しそれぞれの役割を果たそうと尽力した賜物にほかならない。

　そのほかに「文化芸術活動団体助成事業」は2011年度からスタートしたが、より多くの人に利用してほしい、新たな文化を創出したいとの思いから、2016年度に見直しを行い、2017年度から市内外の団体に対象範囲を広げる新制度を設ける予定である。市の財源は市で使うという固定概念を破り、市内外問わず補助金の対象とすることは大変画期的だと思った。それに対する批判的な意見を恐れるのではなく、「市民に還元される活動であること」という条件をしっかり固め、さらなる可能性を探り、活気的なまちづくりをし

ようという意気込みが感じられた。また、「文化・芸術の他分野への活用」に関しては、子育て世代をはじめ高齢者・障害者を対象とした取り組みが行われているが、非常に先進的な取り組みである。福祉といえば生活の支援で終わってしまう印象があるが、宗像市は高齢者施設でワークショップを行ったりと高齢者の方々の生きがいづくりにも取り組んでいる。縦割り行政の弊害を打破し、部署の垣根を越えて新たな分野へ踏み込んだ事業展開をしている。この結果、乳幼児から高齢者にわたるまで全ての宗像市民を対象とした文化・芸術によるひとづくりを実現させている。そのような積極果敢な姿勢に「文化振興によって"まちづくり""ひとづくり"をしよう」という宗像市の熱い思いが感じられた。さらに「宗像ユリックスの拠点機能強化」に関しても、文化の情報源である宗像ユリックスの機能をもっと活用して市民等や民間団体への支援の充実を図ろうとしている。これは現状に決して満足せず、将来への更なる発展を目指している証である。また、「このつながりを断ってはいけない、未来へ継承していきたい」という思いが感じられた。

　宗像市は1965年から宅地開発がなされ、専業主婦が増えて、余暇の時間を活用しようと生涯学習が盛んになった。その結果「ワンコイン講座」の開講、市民団体による「自由大学（ゲストを招いた講座）」の開設、「文化サークル」の立ち上げなど文化活動が活発になった。宗像市は福岡県内でも文化振興が活発なまちである。現在の文化振興事業が宗像市民の心の拠り所となり、宗像市のあかるい将来へとつながっていくのだろう。文化・芸術を通し「まちづくり」「ひとづくり」を形成する宗像市の取り組みは非常に先進的であり素晴らしいものであった。

CASE 03 NPO法人 太宰府アートのたね
アートで市民と行政がつながる関係

——文化・芸術活動を継続するNPOは自治体に何を期待しているのか

文化・芸術の振興を「まちおこし」の手段として考える自治体は少なくない。そのような状況の中、地域で芸術をテーマに活動する市民や団体が存在する。それらは、自治体に何を期待しているのか、それとも無関係でいることを望んでいるのか。活動内容と団体形成プロセスを研究することで自治体が成すべきことが明確になると考えた。

「地域住民に対して、芸術・文化の素晴らしさを広め、豊かな人間関係を築くことに関する事業を行い、人にやさしく、アートのあふれるまちづくりに寄与すること」を目的として活動している「NPO法人 太宰府アートのたね」（以下、「太宰府アートのたね」）は、子どもたちを対象とした事業を継続的に実施している。それらの事業とアーティスト、企業等が協力する体制が形成されたプロセスについてヒアリングし、芸術が人とまちを動かす仕組みを解明することを目的として視察を実施した。

——設立のキッカケは九州国立博物館開館イベント

絵画教室の先生とその生徒の保護者たちは、九州国立博物館のイベントに参加し、そこでアーティストの日比野克彦、企業人、太宰府天満宮の人々と出会う。そして、日比野のアドバイスによりNPO法人を立ち上げた。市民、企業、太宰府天満宮、太宰府市がアートを通じた楽しい活動でつながることとなったのだ。

太宰府アートのたねの牟田佳子が「奇跡」と言う出会いは、継続的な活動につながる。牟田は「やさしい気持ちの人が増えるとやさしいまちになる。アートの魅力はすごいと思います」と語る。異分野、異業種をつなぐことができるアートの力を感じることができた。

——市役所のさまざまな部署から協力を依頼される関係

　活動の実績から太宰府市の文化・芸術担当以外の部署も、直接太宰府アートのたねに協力を依頼する。アートに関する活動をするNPOが文化・芸術担当部署を通さずに市役所と関わるという関係性は我々が知らないカタチであった。

——図書館での作品展示による公共施設の新たな機能の創出

　きっかけは、牟田が太宰府市民図書館にある空っぽのショーケースに作品展示ができるか尋ねたことだった。そして、子どもたちの作品が展示されることになる。

　図書館は太宰府アートのたねに太宰府市民図書館開館30周年記念事業を依頼する。それはトショカン・ジャックという事業として実現され、図書館は美術館になりえるという観点を見出した。費用をかけずに公共施設の新たな機能の創出をしているともいえる。その背景には、自治体とNPOの間にあるハードルをアートが下げたことがある。

——活動する市民が太宰府市に声をかけやすい状況

　牟田が太宰府市とともに実施するイベントを通して太宰府市のさまざまな部署に知り合いができ声をかけやすくなったと話していた。また、「地面に大きな絵を描こう」という事業では、太宰府市は図書館や市役所駐車場の使用を許可するなど、費用をかけないカタチで効果的に協力している。条例制定、計画策定、事業助成金支出という流れとは異なる文化・芸術振興の仕組みを確認することができた。

——太宰府天満宮とアート

　太宰府天満宮の御祭神菅原道真公は「学問の神様」のほか「文芸・芸能・芸術の神様」として古くから崇められ、九州国立博物館の誘致運動など一貫して九州の文化活動の活性化に貢献すべくさまざまな試みを行ってきた。太宰府天満宮の境内地の3分の1を寄付して九州国立博物館が建設されたとい

case03-01
太宰府アートのたねに
よる「地面に大きな絵
を描こう」イベント

う経緯もある。2006年からは太宰府天満宮アートプログラムを中心として、多彩なアート、デザインの紹介に注力している。その中で、フラワーアーティストのニコライ・バーグマンの展示も太宰府天満宮境内での滞在制作を経て実施された。太宰府アートのたねもその展示に協力した。スターアーティストはアートに関わりのなかった人をアートの世界に取り込むことができる。太宰府天満宮との関わりが太宰府アートのたねの活動の幅を広げている。

──運営費を確保する姿勢

太宰府市からの助成金制度はない。賛助会員を募り会費収入を確保している。また、独立行政法人国立青少年教育振興機構子どもゆめ基金や公益財団法人日本財団の助成金も活用している。人件費の確保を目指すことで、次世代へ引き継ぐ体制を考えている。

──絵画教室の生徒やその保護者の協力

牟田は「楽しいから続けられる」と言う。生徒やその保護者も同じであり、アートの「楽しさ」が人を引きつけている。イベントに参加した子どもたちが成長し、イベントを手伝ってくれる関係性が自然にできている。

――「楽しむこと」と「信頼されること」がつくり出す関係

　絵画教室の先生とその生徒の保護者たちは、アーティスト、企業人、太宰府天満宮の人々と九州国立博物館の開館記念イベントを通して出会い、アートあふれるまちづくりを目指してNPO法人を立ち上げる。絵画教室の先生を誘ったのは太宰府市の担当者であり、人のつながりが幾重にも重なり活動は大きくなっていく。太宰府アートのたねが開催する子どものためのイベントは無給のスタッフが支えている。「楽しむこと」をキーワードに協力の輪が広がっている。

　継続的な活動は行政に認知され、さまざまな協力を依頼される。「信頼されること」で活動の幅は広がっていく。

　アートの魅力は「人をやさしくできること」にあるという代表牟田の言葉が心に残った。太宰府アートのたねのイベントは、大人も子どもも楽しむことができる。身近なテーマでさまざまな人がやさしい気持ちで活動に参加しつながっている。活動が継続できる要因はそのあたりにもあるようだ。

　一方、太宰府市の関わり方は、助成金を支出するカタチではない。ヒアリングの中で、声をかけやすい市役所、声をかけてくれる市役所であることを感じた。アートの活動を通すとNPOは声をかけやすく、市役所もアートに期待し声をかける。活動する市民と行政の間にある垣根の高さをアートが下げているようだ。

　条例制定、計画策定、そして事業化という流れとは違うアートを通してのNPOと行政の関係は興味深い。市役所の文化・芸術担当以外の部署も、直接太宰府アートのたねに声をかけるという。アートに関する活動をするNPOは文化・芸術担当部署を通して市役所と関わるという考え方は行政の固定概念なのかもしれない。

　文化・芸術振興は助成金の交付という形が多く、予算上の都合から時の体制に左右されやすいため、行政は条例や計画の策定で時の体制に左右されない仕組みづくり目指している。しかし、太宰府アートのたねと行政の関係性は、継続的な文化・芸術振興の新たな形になりえると感じた。文化協会などの従来からの団体と違い、文化・芸術から外の分野に向けて活動できるNPO

が行政の文化・芸術振興の取り組みを変化させていくかもしれない。また、そのようなNPOが活動しやすい環境づくりを行政はまだまだできると感じた。活動展示空間としての公共施設の提供、教育や福祉事業での協働、企業や大学などとの橋渡しなど、助成金交付以外の具体的な施策の可能性はありそうだ。

CASE 04 新潟県 十日町市
芸術祭を「かすがい」とした協働の「まちづくり」と「ひとづくり」

――芸術祭はまちづくりにどのように影響するのだろうか?

　「大地の芸術祭越後妻有アートトリエンナーレ」(以下、「大地の芸術祭」)は、越後妻有地域(新潟県十日町市・津南町)を舞台に3年に1回開催される世界最大級の国際芸術展である。現在、日本各地で多くの芸術祭が開催されているが、2000年にスタートした「大地の芸術祭」は、その草分け的な存在だと言える。また、広域行政圏における地域の活性化を目的とした新潟県の施策「ニューにいがた里創プラン」(1994年)をきっかけとして始まった芸術祭であり、アートが持つ力をまちづくり・ひとづくりに活用してきた先進かつ成功事例として注目を集めてきたプロジェクトでもある。

　芸術祭をまちづくりの起爆剤として捉え、新たに取り組む自治体も多い中、「大地の芸術祭」は第1回展の開催から17年が経過し(取材当時)、その間、社会情勢や地域を取り巻く状況も変わっていることから、他の芸術祭に先んじて岐路を迎えていると推察される。その点で、「大地の芸術祭」の現状を調査することは意義深い。また、2000年の第1回展から2015年の第6回展までの開催を通して、十日町市が得た知見は自治体が文化・芸術を活かしたまちづくりを考える際に参考にできる。自治体の文化・芸術行政の在り方を考える一助とするため、十日町市の関係部署を対象に「大地の芸術祭」についてヒアリング調査を行った。

——芸術祭の概要

これまで6回開催し、2015年（6回展）には、人口約7万人の地域に約51万人が来訪した。来訪者は1回展の16万人から回を重ねるごとに増加している。また、リピーター（来訪回数が2回以上の人が44.1％）と女性（65.0％）が多いことが特徴である。年齢層は、20代（27.2％）、30代（27.1％）、40代（16.1％）で全体の7割を占める。関東地域からの来訪者が43.4％と最も多く、次いで新潟県内からが29.9％である。近年は作品も増えてきたため、作品を活用するという観点から、芸術祭のほか四季に合わせて通年でイベントを開催している。

——事業費の概要

歳入は、1〜2回展は新潟県の補助金と市町村負担金が大部分を占めた。しかし、3回展以降は県の補助金が削減されたため、国庫補助金のほか、企業等からの寄付・協賛金、パスポートの販売収益などを主な歳入としている。6回展の歳入（6億2,420万円）の内訳は、国庫補助金2億2,799万円、市町村負担金1,000万円、寄付・協賛金等1億3,830万円、その他1億5,790万円である。なお、7〜8回展については、文化庁の「文化芸術創造活用プラットフォーム形成事業（先進的文化芸術創造活用拠点形成事業）」の補助金を活用する予定である。

歳出については、6回展（6億2,365万円）の内訳は、ディレクター委託費2,000万円、芸術祭運営委託費5億2,596万円、その他（バス運行費等）7,769万円である。

——芸術祭の運営・推進体制

「大地の芸術祭実行委員会」を設置し芸術祭を運営している。実行委員会は、新潟県、十日町市、津南町のほか、市内経済団体、観光・旅館関係団体、教育関係団体、市民活動団体など、約100名のメンバーで組織。委員は主にそれら団体の代表者に依頼している。施設や作品の管理・運営、各種イベントの企画・運営、芸術祭やイベントの広報等については、NPO法人 越後妻有里山協働機構が担う。

　大地の芸術祭は、観光振興を主たる目的として始めたイベントではなく、地域活性化を目的として始めたものである。地域を活性化するため、地域の潜在資源（棚田・里山などの自然資源、空き家・廃校などの集落資源、民芸・工芸などの文化資源）を、現代アートを活用して新たな視点から見つめ直し価値を再発見することを目的としている。この芸術祭の根本的な思いとして、「地域の人たちの笑顔を取り戻したい」という願いがある。よって、展示作品はワークショップなどを通じて、作家と地域住民が一緒につくる。また、芸術祭では、地域住民が地域外からの来訪者をおもてなしするという視点も大切にしている。このように、地域住民がアートに触れる機会を創出するだけではなく、地域住民と外部の人とをつなぐ交流の場を生み出している。

　総合ディレクターの北川フラムは、作品を地域に展開するに当たっては、「地域の人たちが自分たちの地域を自分たちの手でどのようにしたいのか」を確認することが大切だと考えている。

　アートを通じて来訪者が地域住民と触れ合うことによって、来訪者が元気になる（活性化する）ことも意図している。たとえば、芸術祭の拠点施設にある食堂などでは地元産の食材を使用して里山の料理を提供しており、地域の豊かな"食"を再発見できる場となっている。そこでは、地元の人たちが調理や給仕を手伝い、来訪者と交流できる場としても機能している。

　芸術祭には、「災害からの復興と再生」という視点も取り入れている。2011年3月の長野県北部地震で倒壊した「オーストラリア・ハウス」という作品は、再生プロジェクトとして新たな作品として生まれ変わり、宿泊施設としても活用している。また、「うぶすなの家」も新潟県中越地震で半壊した古民家を再生した作品である。

　地域住民の対応だけでは手が足りない部分も出てくるため、大地の芸術祭サポーターとして、県外の大学生、社会人、シニア世代などの人たちに協力を依頼し「こへび隊」を組織している。こへび隊には、芸術祭の運営、作品のメンテナンス、ツアーのガイドだけではなく、地域の除雪作業や農作業まで、さまざまな活動をサポートしてもらっている。

民間からの支援としては、東京のベンチャー企業などが「オフィシャルサポーターの会」を結成し、資金面に加えSNSでの情報発信などを支援している。

　3年に1回の芸術祭開催時だけ作品を見てもらうだけではもったいないので、季節に合わせたイベントや、豪雪地帯であることを活かしたイベント（雪花火）などを開催している。これらのイベントを通じて、芸術祭の作品だけではなく十日町市・津南町の地域資源や魅力を知ってもらうきっかけとしている。

——芸術祭を開催して得られた効果、地域や市民に見られた変化

　「ポチョムキン」という作品では、展示をきっかけとして、ごみの不法投棄が減った。お土産などのパッケージにアートの要素を取り入れデザインを変更したところ売り上げが大幅に伸びた商品もある。その「越後妻有の名産品リデザインプロジェクト」は、グッドデザイン賞を受賞した。

　こへび隊は、当初は大学生の参加が多かったが、大学卒業後、就職してからも引き続き参加してくれる人などが出てきており、幅広い年齢層の人たちが参加している。また、こへび隊での活動をきっかけとして、十日町市に移住する、十日町市で起業するなど活動を始める人たちも存在する。

　当初は、芸術祭に対する地域の協力を得るのが難しく、1回展の参加地域は28地域にとどまった。しかし、芸術祭による地域の変化が認知されるようなると、徐々に参加する地域も増えてきて、6回展では110地域が参加した。芸術祭が地域に根付いてきたという実感がある。

　芸術祭の宿泊の拠点として、湯沢町や長岡市などが利用されている。十日町市だけではなく、近隣自治体にも経済波及効果がある点で芸術祭は広域の地域活性化にも寄与している。

——芸術祭を継続するに当たっての課題

　関西地域を始めとする西日本からの来訪者が少ないため、力を入れたいが、公共交通機関の少なさがネックである。作品が点在しているため、来訪者の

6割がマイカー、1割がレンタカーを利用して鑑賞している。

　こへび隊は、新規の大学生の参加者が少なくなっており、人材の獲得に苦労している。活動してみたい大学生にとっては、他の芸術祭やイベント等でも似たような取り組みがあるため、必ずしも大地の芸術祭でなくても良い（近郊の芸術祭等に参加する）という状況があると思われる。

　持続的な財源の確保が難しい。寄付・協賛金をどのように集めていくのか工夫が必要だと考えている。

　今後、担い手となる人材の育成・確保が課題になる。特に、地域の担い手について地域住民の高齢化が進んでいるため、次の世代の担い手にどう引き継いでいくかを考えなくてはならない。

　十日町市内には宿泊施設が少ないため、観光受入体制を強化する必要がある。民泊の活用なども、慎重に検討したいという。

　芸術祭の効果を地域産業の活性化にどうつなげるかが課題である。来訪者の多くが車を利用するため、ガソリンスタンドやコンビニなどには、芸術祭の経済効果が波及しているが、他の産業にも経済効果を拡大していきたいと考えている。新たな土産品の開発などにも力を入れたいとのことである。

──芸術祭のこれから

　これまでの芸術祭では、主に山間地の地域活性化に力を入れてきた。芸術祭と中心市街地活性化事業と連携させることには、さまざまな可能性があると考えており、今後検討していきたいとのことであった。

　芸術祭の中心施設である越後妻有里山現代美術館［キナーレ］とともに、中心市街地活性化事業の中心施設である十日町市市民交流センター［分じろう］と十日町市市民活動センター［十じろう］の視察を行った。

──アートで地域課題を解決し地域活性化するということ

　研究1年目の視察において、「自治体は、文化・芸術が人や社会に対して持つさまざまな可能性を理解し、それを活用することで、より良い〝ひとづくり〟や〝まちづくり〟ができるのではないだろうか」との視点を得た。2年目

の研究では、この視点からの考察を深めるため、事例として、芸術祭を活かしたまちづくり・ひとづくりを進めている十日町市（大地の芸術祭）に着目した。

十日町市では、大地の芸術祭に関わったことをきっかけとして、その後、まちづくりに関わるようになった人たちが多いことに驚いた。特に、こへび隊で活動していた人たちが、芸術祭に関わる中で、十日町市というまちや、そこに住まう人々に魅力を感じ、十日町市に移住したり、起業したりと、さまざまな形で現在も十日町市に関わっていることは素晴らしいと思った。今回の視察では、施設見学時などに、そのような人たちの話を聞くことができ、さまざまに意見交換をさせていただいた。どの人も十日町市に対して愛情があり、地域のことや自分のことをいきいきと話す様子が印象的だった。

十日町市のこのような状況は、どうやって実現できたのだろうか。筆者は、この状況を実現できた成功要因として、以下の4つを挙げたい。

1つ目は、芸術祭を開催する目的が、開催当初から一切ブレていないということである。大地の芸術祭は、地域を活性化する（地域を元気にする）ことを目指し、その手段として、現代アートの活用に着目した。また、地域の活性化が目的ではあるが、名のあるアーティストの作品を地域に展示し、外部から多くの人が訪れることだけが地域の活性化だとはしていない。芸術祭（アート）をきっかけとして、人と人との交流が生まれ、その交流を新たな地域価値を創出する起点として考えている。芸術祭の企画当初から一貫して、芸術祭（アート）を活用したまちづくりを進めることに主眼を置いている。この姿勢は、6回展を経ても変わってはいない。このブレない目的こそが、大地の芸術祭の特筆すべき点であり、素晴らしい点であると考える。

2つ目は、十日町市の大地の芸術祭を活かしたまちづくりは、単に地域が活性化すれば良いとは考えていない点である。地域が活性化するためには、その地域に関わる人たちが活性化する（地域の人が元気になる）必要があると考え、さまざまな取り組みを進めている。これは、1年目の視察において、アートサポートふくおかの古賀が言っていた「文化・芸術を活かしたまちづくりは、"人が元気になる"と"まちが元気になる"の2つの視点に分解して考えた方が良い。文化・芸術は、エンパワメントやQOLの向上に貢献するもの

であり、人を元気にする力を持っている。」という発言ともリンクするものである。大地の芸術祭は、「芸術祭（アート）を活用してひとづくりを進める」という視点も持ち合わせている点が良いと考える。

　3つ目は、芸術祭（アート）を「かすがい」として、「人と人との交流」を生み出していることである。この「人と人との交流」は、地域の人と外部の人（アーティスト、来訪者、観光客等）との交流のみにはとどまらない。たとえば、地域に作品を誘致するに当たって、賛成派の住民が反対派の住民を説得するなど、地域内の住民同士が対話するきっかけともなっている。また、ヒアリングの中で担当者は、市域内の違う地域の住民同士がつながるよう、芸術祭を活用したいと考えていると言っていた。このように、大地の芸術祭は、市域の中の人と人とをつなぐきっかけにもなっている。そして、この「人と人とのつながり」は、他者の目を通して、自分たちのまちの魅力を見直すきっかけにもつながっていると思われる。何もないと思っていた里山、暮らすのに支障でしかなかった豪雪、廃れてしまった地域の産業など、現代アートを取り入れ、他者の視点からの見え方を知ることで、地域住民が自分たちの地域を改めて見直すきっかけになったのではないだろうか。そして、この見直す過程を経たからこそ、地域住民が来訪者に対して、温かいおもてなしをすることも可能になるのだと考える。

　そして、4つ目は、大地の芸術祭を通して、地域住民の中に「自分たちが、自分たちの地域を、自分たちの手でどのようにしたいのか」を考える素地ができてきたことである。「自分たちの地域を、自分たちの手でどのようにしたいのか」を住民自身が考えることは、自治の基本であり、住民の手によるまちづくりを実現するための1歩だと思う。しかし、実際には、住民が考える機会を持つことは少ないのではないだろうか。また、考える機会をどうやって創出するのか、苦労している地域も多いと思われる。十日町市は、大地の芸術祭（アート）を活用することで、地域住民が自分たちの地域を自分事として考える機会をつくることができたのではないだろうか。ヒアリングの中では、住民も市職員も、「芸術祭とは何だ？」「現代アートとは何だ？」という、何もわからない状況からのスタートだったと聞いた。そのような状況で

あれば、アートが課題解決の糸口となる可能性や、アートが人に対して持つ効果など、アートに関する予備知識を全く持たない中で、芸術祭に関わっていったものと思われる。そして、芸術祭の開催を重ねるごとに、アートが地域や人々の生活に溶け込む過程の中で、芸術祭（アート）をきっかけとして「人が集まる」「賑わいが生まれる」「困っていたことが解決する」「既存のものに新たな価値を見出す」「今まで目が向かなかったものに目が向く」など、アートが介在したさまざまな体験を、地域住民は積み重ねていったのだと思う。これらの体験は、地域住民にとって、成功体験と言えるものが多くあったのではないだろうか。

　そして、このような成功体験があったからこそ、その後、地域住民や関係者との協働による公共施設整備が可能になったのだと筆者は考える。「市民交流センター（分じろう）」と「市民活動センター（十じろう）」の整備事業では、施設のコンセプト等を企画する段階から設計・改修に至るまで、十日町市と地域住民・関係者が協働して行った。この事業に関係した住民・関係者の中には、こへび隊などで大地の芸術祭に関わった人も多かった。大地の芸術祭によって、地域の中に「自分たちが、自分たちの地域を、自分たちの手でどのようにしたいのか」を考える素地ができていたことが良かったのだと思う。また、そのように考える人たちが増えていたことや、そのような人たちをつなぐ交流が生まれていたことが、実際のまちづくりにおいても役に立ったのではないだろうか。

　大地の芸術祭が、文化・芸術を活かしたまちづくり・ひとづくりの好事例となり得たのは、「芸術祭は、まち又はひとを元気にする手段であり、地域の活性化や地域課題の解決のために現代アートを活用する」というブレない考え方が功を奏しているものと思われる。

　自治体の施策・事業は、とかく手段が目的になりがちである。ともすれば、芸術祭も、「開催すること」そのものが目的にすり替わってしまってもおかしくない。また、芸術祭は外部から多くの人を呼び寄せる手段として考えられがちである。しかし、自治体が芸術祭を運営する場合は、芸術祭を開催して外部から多くの人を呼び込んだ先に、地域住民にとってどのような幸せが

あるのかを考えなくてはならない。自治体が立案・実行する施策・事業は、地域住民の福祉の増進を一番に考える必要があるからだ。

その点において、大地の芸術祭は、「地域（住民）のための芸術祭である」という視点を見失うことなく、また、その視点を多くの人たちが共有・理解し、継続して実施している点が素晴らしい。

今回の十日町市の視察では、まちづくり・ひとづくりにおいて、文化・芸術が持つ力を再確認することができた。また、文化・芸術に限らず、さまざまな手段を活用してまちづくり・ひとづくりを進める上で、目的を見失わない（手段を目的にすり替えない）ことの大切さを改めて考えることができた。いつか、文化・芸術を活かしたまちづくり・ひとづくりに関わる時が来たら、この学びを必ず活かしたい。

新潟県 新潟市
市民の思いがカタチとなった文化・芸術施策

──新潟市らしい文化の発信

新潟市は2011年度に「新潟市文化創造都市ビジョン」（2012〜2016年度）を策定し、文化・芸術の持つ創造性を活かし都市の活性化を図る取り組みを着実に進めてきた。2016年度には、「新潟市文化創造都市ビジョン」の策定から5年が経過したことから、社会情勢の変化に対応し新たな視点を加えた「新潟市文化創造交流都市ビジョン」を策定した。このビジョンが「創造都市」から「創造交流都市」へと変化したことは、新潟市らしい文化の発信を通して他都市・地域との交流を行いたいという思いが強く感じられる。今回の視察では、新潟市が「新潟市文化創造都市ビジョン」をどう総括し、それを踏まえて「新潟市文化創造交流都市ビジョン」をどのように推進していくのかについて取り組み状況などをヒアリングし、文化・芸術政策において、自治体が方針・計画・ビジョンなどを明確に示すことの意義について検証した。

「新潟市文化創造都市ビジョン」は、「にいがた未来ビジョン（新潟市総合計画）」（2015〜2022年度）の実現に向け、文化・芸術が有する創造性を活かした「文化創造都市」に関する施策展開の基本的な考え方や方向性を示したものである。2012年度にスタートしたこのビジョンも、2016年度で5年が経過したことから、このビジョンの成果・課題などについて、どのように総括しているのかをヒアリングするとともに、このたび見直しが行われた「新潟市文化創造交流都市ビジョン」（2017年度からの5年）におけるプロジェクト等の展開などについて調査を行う。また、本ビジョンのもと「食文化創造都市にいがた推進計画」や「マンガ・アニメを活用したまちづくり構想」を策定し、具体的な取り組みを計画的に推進しているところであるが、「アニメ」や「食文化」を新潟らしい文化の発信源とした理由や、それらを通してどういった「まちづくり」を実現しようとしているか調査し、どのようにして文化・芸術が有する創造性を活かしたまちづくりが進められているか考察した。

──新潟市文化創造交流都市ビジョンの目的と背景

　「新潟市文化創造交流都市ビジョン」の前身である「新潟市文化創造都市ビジョン」（2012〜2016年度）は2011年度に策定され、文化・芸術の持つ創造性を活かし都市の活性化を図る取り組みを着実に進めてきたが、策定から5年が経過し、この間、人口減少、少子・超高齢社会の到来や東京2020オリンピック・パラリンピック競技大会（以下、東京2020大会）の開催決定、グローバル化の一層の進展など、策定当時の想定を超える新しい動きがでてきた。

　そこで、このような社会情勢の変化に対応するとともに、新たな視点を加え、新潟市が目指す「文化創造交流都市」に関する施策展開の基本的な考え方や方向性を示すため「新潟市文化創造交流都市ビジョン」が策定された。本ビジョンにおいて「文化芸術」とは、文学や音楽、美術、演劇、舞踊などの「芸術」のほか、メディア芸術、伝統芸能、生活文化、歴史文化など、幅広い分野を含んでいる。また、本ビジョンが記された冊子の表紙について、デザインも文化の1つという概念からデザイナーが手がけたものである。

　「マンガ・アニメ情報館」はマンガ文化の情報発信拠点。新潟ゆかりのマンガ家・アニメクリエイターのプロフィールや代表作、マンガ・アニメが出来上がるまでの流れなどを紹介するほか、人気キャラクターと遊べるコーナー、声優体験コーナー、ミニシアターなど、マンガ・アニメの魅力がいっぱい詰まったミュージアムである。

　「マンガの家」はギャグマンガ家の作品世界を再現するとともに、マンガの創作体験ができる施設。赤塚不二夫、魔夜峰央、新沢基栄、えんどコイチなど新潟ゆかりの著名マンガ家の代表作の紹介に加え、キャラクターと同じポーズで撮影ができるコーナーやキャラクター等身大フィギュアなどがあり作品の魅力に触れることができる。

　アーティスト・イン・レジデンス事業（「まちなかアートスタジオ」）のモデル実施では、古町地区の空き店舗を借り、アーティストが滞在して作品を制作するスペースをつくった。2013 ～ 2016年度の3年間、モデル実施を行い、まちなかの活性化に寄与するなど一定の効果があった。

　これらの取り組みから、2013年には文化庁長官表彰（文化芸術創造都市部門）、2014年には日仏交流優良賞を受けたほか、2015年には国内で2番目の東アジア文化都市に選定されるなど外部からの評価を高めてきた。

——ビジョン等の策定のプロセス

　参考にした特定の自治体はない。他の自治体のビジョンを参考にするというよりは、これまでの市のビジョンに時代の背景や変化を盛り込んで改定した。

　策定にあたっては庁内に「新潟市文化創造推進本部」を設置するとともに、外部有識者等で構成する「新潟市文化創造推進委員会」を設置し、文化創造の推進に関して総合的かつ継続的な助言をもらう体制を整えた。さらに、「アーツカウンシル新潟」を2016年に立ち上げ、ビジョン策定の際には助言を得た。

　2012年のロンドンオリンピック・パラリンピックでは文化プログラムが英

国全土で展開され、アーツカウンシルが大きな役割を担った。東京2020大会開催に向け、新潟市における文化プログラムを推進し、東京2020大会終了後も地域文化の発展を牽引する核となる組織として、全国の市町村としては横浜に続き2番目にアーツカウンシルを設立した。

——「アニメ」や「食文化」を新潟らしい文化の発信源とした理由

　市担当者によると「食文化」を選んだのは、かつて最大の寄港地として栄え港町文化を持っていること、田園が育まれ食文化が盛んなことが理由である。港町文化及び田園文化のどちらも存在していることは全国でも唯一だと思っており、「市政世論調査」(2016年度実施) の結果によると多くの市民が「食文化」を誇りであると感じている。これらの強みをまちづくりに活かしアクションプランをつくることでより推進し、観光・産業 (ガストロミーツーリズム) の構築、人材育成 (生産者・料理人・消費者のネットワーク構築) に力を入れていきたいとのことである。

　「マンガ・アニメ」は、水島新司や高橋留美子といった著名な漫画家を多数輩出していること、またアマチュアの創作活動が盛んなことが理由。マンガを描く文化が盛んで、ガタケット (新潟市を中心に開催しているオールジャンル同人誌展示即売会) が市民を中心に行われており、クリエイターや漫画家が育っている。そこに新潟市がにいがたマンガ大賞の開催、シェアハウスの開設などを行い後押ししている。また「がたふぇす」(にいがたアニメ・マンガフェスティバル) などのイベントを開催し一般の人々にも楽しんでもらうなど、マンガ・アニメ文化の振興を図っている。今後の展望としては、クリエイターが地元で活躍できることを目指すとのことだった。

　共通事項として、「食文化」「マンガ・アニメ」といった新潟市らしい文化は交流人口の拡大につながるとの思いがある。国内外へ戦略的にプロモーションしていくとともに、文化の一層の振興、地域産業の活性化につなげていきたいと語る。

――マンガ・アニメを活用したまちづくり構想の成果と課題

成果としては、サポートキャラクター「花野古町・笹団五郎」を起用し新潟市のPR等で活用したり、「マンガ・アニメ情報館」及び「マンガの家」の開館、「がたふぇす」の拡充、シェアハウス「古町ハウス」の開設・展開を行った。

民間独自の動きとしては、ガタまん（新潟まんが事業協同組合）が設立され、企業からの依頼を受け、マンガ家などが仕事を獲得できるよう体制を整えている。

課題としては、「マンガ・アニメ情報館」へ行ったことがない人、知らない人が多いこと。今後気軽に行けるきっかけづくりや、活用方法を見出すことが課題解決につながるのではと考えている。

「マンガ大賞」については今年で20回目を迎えることから、応募作品数とレベルの維持が必要。今後はマンガを産業として活用できるよう仕組みづくりが待たれる。マンガ大賞の審査員は出版社が務めており、目に留まれば漫画家としてデビューできる可能性もあり登竜門にもなっている。また、産業につなげていかないとマンガ・アニメの振興に発展しないため、そういった仕組みづくりが必要だと感じているとのことである。

――新潟市文化創造交流都市ビジョンの策定を上位計画として
　今後策定を検討している新たな構想や計画

本ビジョンのもと「食文化創造都市にいがた推進計画」と「マンガ・アニメを活用したまちづくり構想」を策定し、具体的な取り組みを計画的に推進している。

食文化の計画は2017年度に新たに策定、マンガ・アニメも本ビジョンと同様に2017年に改定したばかりであり、新たな構想や計画は予定していないとのことだった。

――新潟市文化創造推進委員会の委員の選定方法

当該ビジョンを確実に効果的に進めることができるよう、有識者や学識経

験者、文化関係者、まちづくり関係者などから人選を行った。要綱では20名以内を選定するとしており、現在11名である。

「新潟市文化創造推進委員会」の委員には、当該ビジョン（冊子）の表紙デザインを担当したデザイナーも含まれている。当該委員の他にも20代、30代の比較的若い年代の委員もメンバーに入っている。また、新潟県との連携として県の職員がオブザーバーとして就任しているとのことである。

—— 公益財団法人新潟市芸術文化振興財団との連携

2016年9月、同財団事務局内に「アーツカウンシル新潟」を設置している。それは、市民の文化・芸術活動の支援、調査研究、情報発信、企画立案機能を有する文化・芸術の専門人材からなる組織である。

東京2020大会に向け、全市一体となって、市民の文化・芸術活動の活性化、国際観光の振興、経済活動の推進に取り組んでいる。大会終了後も持続的に文化創造交流都市推進体制を構築することを目指している。

「障がい者アート支援とアール・ブリュットの展開事業」では、アーツカウンシル新潟と連携し、障害者の作品の展示会・ワークショップや演劇のワークショップ・公演を行う。

2017年10月には、姉妹都市であるフランス・ナント市において「あらゆる人々の文化への権利と文化へのアクセス」をテーマに「日仏都市・文化対話2017」が開催される。その際に、テーマに基づき新潟市美術館で過去に開催した企画展「アナタにツナガル展」を紹介する展示を開催する予定である。この展示事業は、文化政策課と新潟市美術館、アーツカウンシル新潟によって企画・実施する。

市の職員であれば異動がつきまとうが、文化政策に関しては知識の蓄積や組織づくりが重要である。アーツカウンシル新潟を立ち上げることで人材育成やノウハウの蓄積が可能となるとのことである。

—— 新潟市らしさを発信する仕組みづくり

新潟市の特徴として2点挙げられる。

1点目にアーツカウンシルの構築である。文化・芸術団体に助成金を支出することに終わらず、資金調達や広報等の相談に対応したり、調査研究を通じて提言を行う。このように行政とも文化・芸術団体とも一定の距離を取った第三者機関として、専門的な知識やノウハウを活かし、公正かつ効率的な支援をしていくための制度である。

　アーツカウンシルを立ち上げることで行政では実現が難しい恒久的な人材の育成とノウハウの蓄積を目指す体制を整えた。これにより、2012年ロンドン大会で展開したように、東京2020大会を通して社会や地域の課題解決に文化・芸術を活用することを試みている。

　2点目は市民力の高さである。新潟市は古くから港町として栄え、田園が広がるまちで食文化が発達していた。「市政世論調査」によれば新潟市に対する誇りや愛着を感じているものとして「農産物」「海産物」「料理」など食に関するものが多く、食に誇りを持っていることが窺える。そういった誇りを持った市民や民間事業者の思いが形となり、食文化の伝承や情報発信が行われている。また、マンガ・アニメ文化に関しては、クリエイターの生業を確保し活動をサポートしていこうとガタまん（新潟まんが事業協同組合）が設立された。

　これらの動きから感じられるのは、市民が自らの手で自分たちの文化を発展させていこうという強い思いである。一方で行政としてはこういった市民の思いや動きを受け、更なる文化の振興を目指しサポートする形として事業展開している。新潟市文化創造交流都市ビジョンは、外部に委託するのではなく、職員の手で自ら作成した。その背景には他者に頼らず自らの手で方針を固めて発信することで、市民に通ずるとの思いがあるそうだ。このように市民が先頭に立ち、そこに行政の一助があって新潟市の文化の振興・発展が実現していると感じた。

　このように新潟市の文化振興は市民と行政の思いと行動、アーツカウンシルの支援がともなって活発に取り組まれている。今後もそれぞれが力を発揮することで、新潟市の文化の更なる発展が期待できるのではないだろうか。

考察「文化・芸術は"かすがい"」

条例・計画・ビジョンの必要性

　NPOアートサポートふくおかの古賀弥生は、アートマネジメントに携わる立場から、行政にはグランドデザインを描くことをまずやってもらいたいとして、文化・芸術を活かしたまちづくりにおいて自治体が方針等を示すことの重要性を示唆していた。そして、自治体が方針等において、文化・芸術を活かしたまちづくりを明確に位置付けることで、民間の団体も動きやすくなるとの話があった。宗像市や新潟市は、文化・芸術を活かしたまちづくり（ひとづくり）について方針等で明確にすることで、さまざまな関係者を巻き込んで取り組みを推進しており、古賀の話を裏付ける好事例だと言える。

　また、宗像市や新潟市のヒアリングでは、方針等を策定することにより時勢に左右されない施策を展開できるようになることや、方針等を策定するプロセスにおいて文化・芸術振興の課題を明らかにすることができることなど、方針等を示すことのメリットについて聞くことができた。

　これらの視察結果からも、文化・芸術政策において、自治体が条例・計画・ビジョン等の方針を策定し、文化・芸術を活かしたまちづくり（ひとづくり）の将来像を明確に示すことは自治体の重要な役割であるとともに、自治体がその役割を積極的に担うことが期待されていると考えられる。

　宗像市や新潟市の視察では、自治体が文化・芸術を活かしたまちづくり（ひとづくり）についての方針等を策定する際に留意すべき点など、私たちの自治体においても参考となる視点を確認することができた。

　たとえば、宗像市では、時の情勢に左右されない永続性のある文化振興事業を行うために文化芸術振興条例を策定した。その結果、文化・芸術を積極的に活用したまちづくりを実現させている。また、これらの策定に携わった策定委員は、専門分野に応じて選定しており、市民代表は一般公募を行っている。専門分野の委員に関しては、地元の教育大学の教員に加えて、市の担当者がアートマネジメントの講演先で出会った専門家に参画を依頼している。このように、アートに関するさまざまな分野で活躍する委員を集めるこ

とによって、広い視点から意見を募ることが可能となる。

　新潟市では、もともと市民や民間事業者の間で自分たちの文化を発展させていこうという思いがあり、それが形となって食文化の伝承やマンガ・アニメ文化の情報発信が行われている。そこで、行政はこういった市民の思いや動きを受け、更なる文化の振興を目指しサポートする形として政策を打ち出している。2016年度に「新潟市文化創造交流都市ビジョン」を策定した背景には、市が目指す「文化創造交流都市」に関する施策展開の基本的な考え方や方向性を示すことがあった。このビジョンのもと「食文化創造都市にいがた推進計画」と「マンガ・アニメを活用したまちづくり構想」を策定し、具体的な取り組みを計画的に推進していくこととしている。つまり、ビジョンを示すことで市の方向性を明確にし、計画を策定することで具体的に取り組んで行くことができる。

アートが「かすがい」として行政の施策に与える影響

　各市の視察では、アートが文化・芸術振興以外の事業に影響を与える様子を見ることができた。特に、宗像市、太宰府市、十日町市の事例では、アートの「かすがい」としての力が人とまちを動かしており、それぞれの市や地域の課題解決を実現していた。その、行政の条例・計画・ビジョンから発生する事業とは違ったプロセスから、まちづくりにおけるアートの更なる可能性を感じることができた。

　たとえば、宗像市では子育て世代をはじめ、高齢者・障害者を対象とした取り組みを行っている。また、福祉分野に関しては一般的に生活の支援で終わってしまっているが、他部署と連携し高齢者施設でワークショップを行うなど、高齢者の生きがいづくりにも取り組んでいる。この結果、乳幼児から高齢者にわたるまで全ての宗像市民を対象とした文化・芸術によるひとづくりを実現させている。

　太宰府市においては、アートの「かすがい」としての役割をNPO法人 太宰府アートのたねが担っていた。行政にさまざまな協力を依頼され、文化・芸術振興部局以外の事業に参画することでアートを「かすがい」として行政

の事業と市民を結び付けている様子は、アートを仲間内の趣味の世界で終わらせることなく、行政の事業を活動の場としてアートの魅力を外に向けて発信しているようだった。アートを使ってアートの外の分野で活動する姿は、これまでの文化・芸術活動団体にはない新しい可能性を感じることができた。

　この2市の事例において、「かすがい」としてのアートに対しての行政の役割を考えると、今までの文化・芸術団体に対する助成金交付だけではなく、アート活動を教育や福祉等他分野を舞台にして活動できる市民やNPO等団体が活動しやすい環境や仕組みをつくることだと感じることができた。それは、行政が主体的に文化・芸術振興に取り組むべきという思い込みを転換させるもので、「まちづくり」と「ひとづくり」につながる「行政にできることの新たな形」と言える。

　また、十日町市では芸術祭（アート）を「かすがい」として、さまざまな「つながり」が生まれている。まず、「人と地域のつながり」である。「こへび隊」という芸術祭サポーターは、芸術祭の運営、作品のメンテナンス、ツアーのガイドだけではなく、地域の除雪作業や農作業まで、さまざまな活動をサポートしている。そして、こへび隊で芸術祭に関わったことをきっかけとして、まちづくりに関わるようになった人や、十日町市に移住した人たちがいる。次に「地域の中の人と人とのつながり」である。芸術祭は、集落に作品を誘致するに当たって、賛成派の住民が反対派の住民を説得するなど、集落内の住民同士が対話するきっかけになっている。そして、「地域の人と外部の人（アーティスト、来訪者、観光客等）とのつながり」である。展示作品は、ワークショップなどを通じて、作家と地域住民が一緒になって制作する。また、芸術祭では、地域住民が地元産の食材を使って里山の料理を提供するなど、地域外からの来訪者をもてなすという視点を大切にしている。

　これらのさまざまなつながりは、地域住民が自分たちの地域を改めて見直すきっかけや、「自分たちの地域を、自分たちの手でどのようにしたいのか」を考える機会の創出につながっている。また、地域の中に自分たちの地域の課題を自分事として捉え、自律的に考えて行動する人たちを増やすきっかけにもなっており、実際のまちづくりにおいても役に立っている。

今までのアートをイベントの集客やまちの賑わいを生み出す「手段」として利用することとは違い、「かすがい」という新たな意味での「手段」としてアートを利用することを発見できたのは大きな収穫であった。

滋賀県立芸術劇場びわ湖ホール

オペラ劇場としての公共ホール

　びわ湖ホールは日本有数のオペラ劇場として国内外から高い評価を得ている。プロデュースオペラ「ラインの黄金」が公演されるため、現場にて藤野一夫から作者であるリヒャルト・ワーグナーとびわ湖ホールの運営についての講義を受け、その後ドレスリハーサルを鑑賞し、また、国内有数の4面舞台を備えた大ホール、演劇向けの中ホールや小編成のクラシックコンサートに適した小ホールなどを視察し、音響設備や舞台機構とホール運営についてどのような工夫がなされているのか考察した。

文化・芸術振興を推進する運営体制

　公益財団法人びわ湖芸術文化財団は、滋賀県民の文化の振興と向上を図ることを目的に指定管理者として選定された。

　2017年4月に「公益財団法人びわ湖ホール」と「公益財団法人滋賀県文化振興事業団」の文化芸術部門が統合し「公益財団法人びわ湖芸術文化財団」として新たに生まれ変わっている。

　滋賀県文化振興基本方針の基本目標「滋賀の文化力を高め、発信することで地域が元気になっていく姿」を実現するため、「びわ湖ホール」「滋賀県立文化産業交流会館」の管理運営を行っている。

ホールの外に出向く文化・芸術振興事業

　滋賀の魅力を国内外に発信するとともに、世代を超えて誰もが舞台芸術の楽しみを味わい、繰り返し来館されるホールを目指し、特色ある施設機能を生かして、オペラ、コンサート、バレエ、ダンス、演劇、古典芸能等の多彩なジャンルで国内外の優れた公演を開催している。オペラでは「プロデュースオペラ」「沼尻竜典オペラセレクション」「オペラへの招待」シリーズ、オーケストラでは「子どものための管弦楽教室」などで自主制作公演を行い、演劇・ダンスでも青少年が気軽に鑑賞できる公演をラインナップしている。また、びわ湖ホール専属の声楽家集団「びわ湖ホール声楽アンサンブル」を雇用し、声楽アンサンブルが学校や地域に出かける「学校巡回公演」や「ふれあい音楽教室」などを積極的に実施し、子どもたちが本物の音楽に触れる機会づくりにも取り組んでいる。

　また、びわ湖ホールがより身近なホールとして親しまれるよう、音楽祭「ラ・フォル・ジュルネびわ湖」「びわ湖大津秋の音楽祭」を開催したほか、年に数回無料のロビーコンサートの実施、自主制作オペラの開催に併せたリハーサル見学会などに多数の来場があった。オペラ初心者にも楽しんでもらえる「オペラへの招待」のほか、県教育委員会等との連携事業「びわ湖ホール音楽会へ出かけよう！」（ホールの子事業）等を実施し、次世代を担う青少年が音楽や舞

台芸術に触れる機会の提供に努めるととも
に、オペラ入門講座・古典芸能講座や公演
に関連したプレトーク、ワークショップを
開催するなど広く舞台芸術の普及を図るた

めの事業を行っている。さらに、将来のオ
ペラ界を担う人材を育成するため、「オペ
ラ指揮者セミナー」や「歌曲研修」を実施
している。

行政に求められる知識と情熱

　「ラインの黄金」のゲネプロを見学するまでの間、びわ湖ホールの楽屋の1室で藤野の講義が始まった。我々がホールのバックヤードという特殊な場所に戸惑う中、講義は現場の高揚感の中で、いつもよりペースが早く熱を帯びているように感じた。

　講義は「ラインの黄金」の作者であるリヒャルト・ワーグナーの話から始まった。総合芸術としてのオペラにおいて、作曲だけではなく台本執筆に至るまで全てを自分で行ったワーグナーが、バイロイトで劇場の建築を行ったという話は、行政における芸術と建築の関係性からは、とても遠い話のように感じた。また、バイロイト祝祭劇場では、オペラの鑑賞に特化し、内装が非常に簡素であり、ホワイエが屋外であるという点は、最大公約数の意見を取り入れざるを得なくなり、内装や設備が肥大化してしまう日本の公共ホールとは対照的であり、公共ホールの目的と役割を考えさせられた。

　行政がワーグナーのようなプロデューサーを呼び、ホールの目的、演目、そして建築まで一任すれば問題は解決するかもしれないが、それは困難な話である。さまざまな役割を期待され、目的が明確でない状態で完成してしまう公共ホールに計画の段階から目的を議論し絞り込む仕組みが十分にあれば、よりよい施設が生まれるのではないだろうか。

　次はびわ湖ホールでも導入されている指定管理者制度と公共ホールに求められる公共性の話であった。行財政改革の一環とし
て、効率化のために民間活用をして指定管理者が運営する公共ホールが、収益性の高い演目を必要とするのは当然である。ただ、一方で公共ホールにしかできないオペラのような収益性の低い演目を行う役割もある。指定管理料で収益を補うことには、当然厳しい目が向けられるため、オペラに公共性があるのかが論点になってくる。民間にできないことを求められる公共ホールに、指定管理者制度で民間の効率性を持ち込んだことに矛盾があるのかもしれないが、行政の効率化という流れの中で、民間活用の上手な方法を考えるのが行政の役割ではないかと感じた。また、公共性の議論の中で、過度に経済性と平等性を求められる昨今において、芸術の効果を理論的に説明できる知識と情熱も行政に求められているのではないかとも感じた。

　ゲネプロの合間にホワイエに出ると、琵琶湖と比良山系を望むことができた。施設の管理を考えると、バイロイトのホールのようにホワイエを屋外にすることは困難であるが、ガラス越しにその場所を感じられる空間は、凍れる音楽と言われる建築がオペラのように流れる空間を生み出しているようであった。この施設の計画に関係した人たちのこの建物に対する思いが伝わった気がした。ワーグナーのように絶対的なプロデューサーがいなくても、関係者1人ひとりが芸術に対する情熱を持ち、公共ホールの建築と運営を考える仕組みを行政が上手に整備すれば、ワーグナーの目指した総合芸術に少しずつ近づくことができるのではないかと感じた。

視点

それぞれの市が抱える悩み

　大阪府下の自治体では文化施設の老朽化が進み、各市で建て替えや大規模改修の計画が進められており、既に多くの自治体でホールの建て替えや大規模改修が始まっている。これら建て替え等は、相当なコストがかかる事業であり、維持管理経費も含め負担は将来にも及ぶものである。そのため、将来につながる文化施設の運営のあり方として、公共文化施設を核としたまちづくり「公共文化施設のあり方〜ハコものからの脱却〜」が必要である。

公共文化施設グループ
公共文化施設を核としたまちづくり
「公共文化施設のあり方〜ハコものからの脱却〜」

　公共文化施設は「貸館」としての機能を中心に運営されることが多いが、この場合、利用者は文化活動を行っている人などにとどまりがちである。しかし、施設の維持管理にも多額の公費が必要であることを鑑みると、借りたい人に貸し出す「ハコもの」に甘んじることなく、「公共財」としてより多くの人々に活用される在り方を探っていかなけ

ればならないのではないか。さらに、その在り方が、施設本来の設置目的である「文化・芸術」とリンクして、まちの魅力づくりにつながるとすれば、それが人口減少社会の公共文化施設が目指すべき在り方なのではないか。

　公共文化施設自身が積極的にまちの魅力づくりにつながる事業を展開している先進事例を調査し、公共文化施設の多様な可能性を探っていくこととする。

視察先選定のポイント

　視察先を選定するにあたって、以下をポイントとした。
・施設を中心に文化・芸術によってまちの魅力を形成していること。
・人口規模やロケーション等の条件が、大都市近郊の自治体と類似していること。
・直営、財団、民間のそれぞれが運営している施設を対象に含めること。

CASE 06 いわき芸術文化交流館 アリオス
多くの人が気軽に集い、憩い、賑わいを生む施設

──良質な芸術に触れる機会提供のために

　2016年度の自主企画事業は25事業で、鑑賞系の事業のほか、学校への46回のアウトリーチ、舞台技術基礎講座やオーケストラの入門コンサートなどの人材育成事業にも取り組んでいる。2015年度決算額は、運営事業費が約4億8,000万円、PFI事業費の維持管理分（保守管理、清掃、警備等）が約2億2,000万円。2016年度予算額は、運営事業費が約5億1,800万円、PFI事業費の維持管理分が約2億2,000万円となっている。

　大ホールについては、バイオリンに抱かれている中で演奏を聴くというコンセプトのもと配置された客席（波型）で結果的に席配置が互い違いになる

　ことで、視界の確保も兼ねたものとなっている。舞台上の可視限界を考えると舞台から座席の最大距離を25〜27m内に設定している。そのため座席数を増やすのに、劇場型（階数を増やす）となっている。また、音質にこだわり、壁面は木ではなく、金型を起こしレンガとしている（500席を超えると木より石材の方が音質が良いようである）。

　2015年度の来館者数は、施設全体で約83万人（人口約34万5,000人）、このうち、ホール・劇場への入場者数は約21万人。経済波及効果は、2009年度調査の生産誘発効果が「1.33」、2012年度調査の生産誘発効果が「1.35」であった。

　アリオスの事業では、必ず「いわき市民」「アーティスト」「職員」の3者が関わるものとし、「市民のために」ではなく「市民と一緒に」行うことを心がけている。効率を求めるのではなく、時間をかけてでも市民と親しく運営している。

　体制は職員数44名で、内訳は市職員10名（館長、経営総務課長、総務経理グループ4人、施設サービスグループ4人）と、嘱託職員34名。特に、市民との連携を担っているのが経営総務課の広報グループ（嘱託5名）で、施設そのもののPRを担当し、市民の持ち込み企画をブラッシュアップして提供することもある。貸館の際には、市民が気持ちよく使用できるよう、施設サービスグループが申込から実施まで責任を持って係わり、舞台打ち合わせでも平易な言葉で対応し

case06-02
大ホール。新たな感動との出
会いを演出する大空間

ている。

　市民が良質な芸術に触れる機会をつくるために自主事業を行うことが、新しい文化施設をつくるにあたっての約束事項だった。直営、財団、3セクなどを検討したが、市の内部に専門家が入る形の直営がベストだと判断した。当時検討されていた指定管理者制度は、文化施設の運営には馴染まないと考えていたので、この制度を牽制する意味からも有効であった。しかし、直営を続けるかどうかは5年ごとに見直すことにしている。

——成功の秘訣はフリースペースの確保

　PFI事業者と工事期間中に工事変更（設計変更も含む）を行ってきたため、ニーズに合わせた建物となった。PFIの一部に維持管理も含まれている。大ホールの設計で特に力を入れたのは、生の音響が良いこと。そのほかに、避難経路や女性用トイレの入り口と出口を分ける工夫をしたことで混雑の緩和にもつながっている。

　利用者に特に好評なところは、無料開放空間であるキッズルーム（保育室）で、そのほかのフリースペースも充実している（アリオスラウンジや休憩室含む）。

　学生の勉強スペースやOLの昼食場所としてホールを使用しない人も集まることが大切である。文化・芸術活動をしていない人も、芸術に関心のない

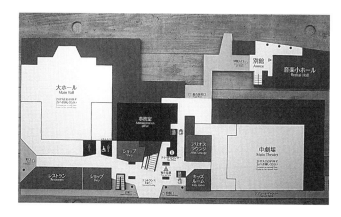

case06-03
1階平面図。アリオスラウンジやキッズルームなどのフリースペースが配置されている

人も、好きな時にやって来て、好きな場所で思いのままに過ごせ、好きな時間に帰って行く。そのようなフリースペースをどれだけ豊かに提供できるかが、成功の秘訣である。人口減少の時代にあっては、ホールなどの稼働率よりも、入館者数を伸ばすことが特に大切である。

　東日本大震災後に建物が無傷なのは、アリオスのみであったため、避難所に指定されていなくても、職員が自ら考え、避難所として開放した。また、音楽小ホールについては、罹災証明の発行場所として、市役所機能の一部を果たした。

　ソフト面では、震災対応のため当初予算が凍結されている中、市長専決で認めてもらった事業費で、精力的に学校へのアウトリーチを行った。さらに、母子だけで避難してくるなど、不安を抱える親子が増えていることを踏まえ、親子が一緒に楽しめる企画を意識的に（事業予算で3分の1程度から3分の2程度に）増やした。

——文化施設の新たな価値　心地よい無料開放空間

　いわき芸術文化交流館アリオスを訪れた最初の印象は、デザイン性が高く、ただ広いだけでなく、いくつもの空間により構成されていると感じた。また、その日は施設の休館日だったが、館内には歌の練習をする学生たちや自習す

る子どもたち、子ども連れなどがいた。催しがない休館日に市民が訪れる秘訣を尋ねると「無料で開放できる空間をできるだけ確保し、市民が施設をどう使うか、運営者側から枠にはめないこと」との話だった。

　施設は、維持管理するだけでも経費がかかる。この財源のうち公費の割合が高ければ高いほど、使う人と使わない人の間に不公平が生じるので、受益者に応分の負担を求めるのは自然なことだと考えていたが、アリオスを見学し、その考え方が施設の可能性を狭めることに気づかされた。

　また、いわきアリオスの運営について、直営であることも特徴の1つである。直営の最大のメリットは、行政に入り込めることにより、他部署との連携がスムーズであることと、効率重視ではなく、市民ファーストを重視できるところにあるとわかった。いわきアリオスでは、文化・芸術に関心がある人もそうでない人も、心地よい空間を提供することにより、文化施設の新たな価値を見出している先進的な事例であった。

CASE 07 金沢市文化ホール
市民文化の充実及び向上を図る施設

──県立音楽堂との棲み分け

　自主事業はホールとしてはやっていない。財団で金沢市文化ホールを使用して事業を実施することはあるが、ホール側で企画して実施することはない。財団が実施する事業であれば当日の運営を手伝うことはある。

　また、すぐ近くに県立音楽堂（コンサートホール、邦楽ホール）があり、邦楽ホールについてはうまく棲み分けができず課題となっている。当初は、棲み分けも含め県立音楽堂の建設が予定されていたが、地元の要望等もあり重複する部分もできてしまっている。

　建築物維持管理計画については、これから作成する予定。ただし、修繕等は、基本的に市で行われるため、予算とのかねあいから、どこまで現場の意

見が反映されるかは現段階では不明となっている。広場の逆ピラミッド型の屋根については、屋根までの階段等はなく屋上からはしごをかけていかなければならず、点検等の際は非常に危険な作業となっている。ここ数年は誰も立ち入っておらず、何か起こっても迅速な対応が困難となるので、今後は簡単に入れるような設計が望ましいと考えている。

また、1982年に開館しており、1994年に照明や音響の改修を実施。2017年に設備関係の改修を検討している。現在では、どこまでの改修を実施できるか未定であるが、基本的に20万円を超える修繕や改修については、市が実施することとなる。

施設の受付や貸し出し管理は紙台帳で実施しているため、多くの事務負担がかかっている。また、イベント等の実施で搬出等に時間がかかりホールの使用時間が22時を超えることも多く、職員の負担が大きくなってきている。

──課題は大規模改修

施設の設備としては充実している印象を受けたが、1982年の開館から改修されていない箇所も多く老朽化が目立つ点もあった。本施設でも大規模改修等が課題となっているが、厳しい財政状況等もあり現場の意見がなかなか反映できない現状があるという。

多くの自治体で公共文化施設の老朽化が課題となっており、確実に改修は必要となってくるが多額の費用が必要となる事業のため、今まで以上に市民に必要とされる公共文化施設の運営や説明責任が問われている。

CASE 08 金沢市民芸術村
演劇や音楽・美術など、24時間・365日利用できる施設

──市民ディレクター制度

財団としての自主事業は行っていないが、ドラマ・アート・ミュージック

の3工房の市民ディレクター（有償ボランティア）によって企画運営されるアクションプラン事業があり、この事業費として指定管理料のうち年間2,000万円程度が充当されている。

　市民の主体的な文化・芸術活動を支援し、活発な文化的コミュニティを創造することを目的としており、その目的に沿うような形で施設運営や事業を展開している。代表的なものが、全国の公共文化施設の中では初の「市民ディレクター制度」導入であり、利用者を代表するディレクターを民間人に委嘱している。ディレクターの具体的業務としては、アクションプラン事業の企画立案及び実施、利用者の工房利用可否の審査や、利用者からの意見を踏まえた工房運営があげられる。

　アクションプランでは、初心者でも気軽に参加できる体験型ワークショップや通年の育成事業など、市民が触れる文化発信の最初の拠点として、さまざまな企画を実施している。

　古いレンガ建築物を利用しているため、完全防音とはなっていない。そのため、電車が通る音や各スタジオから聞こえてくる練習の音がとなりに聞こえることもあるが利用者相互にとってもよい刺激となっている。

case08-02
PIT3 オープンスペー
ス。建物内は昔の梁
や柱が美しく露出し
ている

——地域性に応じた施設運営

　金沢市民芸術村の運営にあたっては、「利用者である市民が主役」という
考え方のもと、市民ディレクター制度を導入し運営を任せることで、市民に
開かれた文化施設になっているという印象を受けた。また、同時に金沢の新
しい芸術創生や文化・芸術を創造する人材育成も意図して行われている。結
果、自然と人が集まり、活発な文化的コミュニティの形成や作品の創作活動
が行われている。

　一般的な劇場等の公共文化施設とはまた違った形で運営されており、文
化・芸術を活かしたまちづくりの形にはさまざまな施設のあり方や運営形態
があることがわかった。時には地域に応じた形で一般的な施設や運営形態に
とらわれず、地域に必要とされるものを見極め、特徴として打ち出していく
ことが必要である。

CASE 09 可児市文化創造センター ala
芸術の殿堂ではなく必要に応じた施設「人間の家」

──芸術の殿堂ではなく「人間の家」

　可児市文化創造センター alaの衛紀生館長は就任以前から文化施設については、社会包摂的な施設であるべきとの考えを持っているが、メジャーな考え方ではなかった。しかし、2011年2月に閣議決定された内容に社会包摂や社会参加の機会という内容が盛り込まれていることから、一定理解を得られるようになった。既存文化に関する愛好者は2％程度であるため、2％の愛好者のために税金を使い公共文化施設を維持管理していくこと。そのための事業を行うことには疑問を感じている。

　現在、各地で文化施設の取り壊しが始まっており、欲望に対応する施設ではなく必要に応じた施設にならないといけない。芸術の殿堂ではなく「人間の家」という理念のもと最後の拠り所となるセーフティネット的な役割が求められている。老人ホームやグループホームであれば役割を理解し必要性について誰も異を唱えない。文化施設もそうあるべきで、身体の不自由な人々や精神障害のある人々、引きこもりや高齢者等、社会的課題解決のための施設であるべきという。

──社会課題解決のために

　alaでは中退者の多い高校（コミュニケーションが十分でなく、自己肯定感が持てず元気がない生徒）に演劇表現ワークショップ（コミュニケーション力向上を目指す）を入れるという事業を行ったところ（年約190万円）、その高校の中退者が毎年40人はいたのが、ワークショップを入れた後は、9人（約1,900万円の効果）に減少している。「今後については、国の補助金がつけば先進市としてさまざまな取り組みを進めていきたい」と衛館長は言う。

　また、相対的貧困が増えており、2009年は生活保護受給世帯の割合が0.12％、47世帯が2015年には0.53％、209世帯になっている。家族のコミュニテ

ィが壊れている家庭に貧困がみられることから、感動体験を共有することでコミュニケーションが活発に行われ、家族が機能するように、就学援助制度を利用している家庭及び、ひとり親家庭を対象とした「私のあしながおじさんプロジェト for Family」(寄付を原資とした公演への招待) を行っている。

　「今後については、高校生で学力不足により卒業できない生徒がいるため、将来を見据えた勉強を教える学習支援を実施したいと考えている。しかし勉強だけを教えてもなかなか生徒は集まらないため、食料提供 (おむすびと味噌汁) を行い、勉強も教えるような事業を実施したいと考えている」と衛館長は言う。

——公共文化施設の使命　社会包摂

　文化・芸術を活かしたまちづくり研究ということで、可児市の視察に訪れたが、衛館長から話を詳しく聞くと、イメージしていた内容と大きく異なっていたことに衝撃を受けた。文化・芸術というのは福祉的な視点とは異なり、どちらかといえば生活に余裕のある人 (芸術愛好者) を対象としたものであると考えていたからだ。

　衛館長の「芸術の殿堂ではなく人間の家」という話や、違いに寛容になるのが文化、自己肯定感を失った引きこもりの人などに自己肯定感を取り戻してもらうのも文化の役割の1つだという話に衝撃を受けた。劇場と文化・芸術は「一部の芸術愛好者」のためではなく「普通の人々」のためにあるべきであり、「芸術的価値」「経済的価値」「社会的価値」を並立させる仕組みを編み出す必要があるとの話に深く共感した。

　今回のテーマである「文化・芸術を活かしたまちづくり研究」という視点でみると、これまで視察に訪れたどの市とも違った視点での文化・芸術を活かしたまちづくりの例であった。

　これらの取り組みや実績、税金で運営されている公共文化施設という性質を鑑みると、社会課題解決のための事業 (社会包摂の取り組み) は公共文化施設では積極的に行っていくべき事業であり使命であるともいえる。

長野市芸術館

CASE 10

世界と長野市を芸術で結ぶ、新しい創造拠点

—— 自主事業に責任を持てる体制

2016年度の予算額は、管理費と事業費をあわせて約5億5,800万円。開館を迎えた2016年度は、久石譲芸術監督の公演をはじめとする音楽・バレエ分野の事業が19事業、音楽普及に係る事業が51事業、演劇・市民参加事業が38事業、共催事業が54事業である。観客を育てるための講座やワークショップは好評で、引き続き取り組んでいく。計画段階から検討に関わった市民ワーキンググループを母体とするサポーターズクラブがあり、この団体が企画する事業を3本実施している。

事務局は、総支配人を含めて19人（うち市から出向1名）の体制である。事業の企画制作担当は3名、芸術監督以外は引き抜きというわけではなく、全国に公募した。広報担当（1名）はタウン情報誌発行など経験のある人たちが集まった。チケットセンターは臨時職員が対応している。

旧市民会館は貸館中心で民間企業を指定管理者として指定していたが、市民が優れた文化・芸術に触れる機会を積極的につくるため、自主事業に責任を持てるように財団を設立した。当初は2015年秋に開館する予定だったため、財団を2013年秋に設立し、市職員2名とプロパー2名の4人で始めた。開館1年半前となるはずだった2014年度当初に13人に拡充し、2015年度当初からほぼ今の体制となっている。

2013年度に芸術監督名を公表した。芸術監督と総括プロデューサーは財団との委託契約によって委託している。芸術監督は、全てのプログラムをチェックする。事務局職員が打ち合わせのために月2、3回東京に訪問している。総括プロデューサーは芸術監督の事務所に所属しており、長野まで来ている。

ホールが良く響くため、音楽系のアーティストからは評判が良いが、講演や演劇には響きすぎる。引き渡し後、600万円かけて音響調整できるようにした。ホール内で2階席に上がるエレベーターがなく、階段しかないことが

不評であった。また、女性用トイレが下手にしかないのが不便だという声が多い。限られた敷地内で庁舎との合築なので、ホール施設が縦に分散してわかりにくい。サインが不足しており、劇場側の動線がわかりにくい。

開館後間もないので正確な稼働率は出していないが、メインホールで約70％、リサイタルホール約55％、アクトスペース約60％、練習室は50％程度。

公演の集客率を伸ばすことが当面の目標。学生割引、キッズ割引の導入、旅行社と提携したツアー企画なども検討している。文化施設は建てるより建ててからの方が経費がかさむ。文化行政に一定の予算を継続的に投入する覚悟と将来を見通した計画が、行政に求められている。

——成果まで時間が必要

長野市芸術館は2016年5月に開館を迎えたが、2010年から市民のワークショップを立ち上げて80回に及ぶ議論を重ね、2012年には「運営管理基本計画」、2013年には「運営管理実施計画」を策定、2013年に運営主体となる財団を設立して芸術監督を招聘するなど、開館に向けて周到な準備を重ねてきた。

しかし、庁舎との合築などの制約がある中で設計を進めたため、使用者側の思いが十分反映できず、来館者の動線や運営の効率性の面で不便も感じていることや、良い企画を立てても直ちに入場者として成果が現れるわけではないことなど、率直な状況を聞き、文化施設をオープンさせることがいかに大変かを痛感した。

事業のラインナップを見てみると、決して多くはないスタッフで、意欲的な企画に取り組んでいる。また、市民のワークショップを母体とする「長野市芸術館サポーターズ倶楽部」が、この施設を盛り上げようと活動している。地域性や合築による芸術館側への不利な条件（駐車場や出入口の兼用）もあり、新たな文化・芸術の芽が出るまでしばらく時間がかかるだろうが、今後は活動の輪が広がっていくことが期待される。

CASE 11 富士見市民文化会館 キラリ☆ふじみ
地域の文化を継承していく施設

―― 人気事業「サーカスバザール」

　2016年度の市民文化会館の管理運営事業費と自主事業費の決算額は、2億6,985万円強（うち、指定管理料 約1億8,854万円）。2017年度の予算額は、約2億9,165万円（うち、指定管理料 約1億8,920万円）。

　考え方としては、人件費を含めた管理運営事業費を市から指定管理料として受領し、利用料収入と入場料収入で事業費を賄っている。指定管理は、3期目から非公募。創造性についての事業を予算と結びつけて考えるのは難しい。

　2016年度の稼働率は、日単位でメインホール89.8％、マルチホール78.3％、展示会議室98.2％。来館者数は貸館利用を含めて19万3,598人。稼働率は開館後10年くらいまで上昇を続けたが、落ち着きをみせている。

　開館当初は、都内まで行きにくい人をターゲットに事業展開してきたが、現在は地域に根付いた活動を中心にしている。芸術監督やアソシエイトアーティストとともにレパートリー作品を地域の人と創造し、他館に巡回している。来館層は都内からの集客が多かったが、アウトリーチの成果で館を認知されたことも手伝って、地域の方も増えてきた。

　有名俳優や有名アーティストが出演する公演はチケットの売れ行きが良い。他に人気がある事業として、「サーカスバザール」がある。これは、普段館に来ない人たちに興味を持ってもらうために館長の発案で始めたイベントで、「地産地消」を合言葉に、市内や近隣から農業や商店などの人たちが集まって、旬の野菜やお米、地元の食品や料理、珍しい工芸品など、富士見特産の品々を販売したり、サーカスや大道芸の芸人たちがパフォーマンスを繰り広げるもの。2016年度は2日間で2,655人が参加した。

　職員数は館長以下18人と非常勤の芸術監督1人。事業担当が4人で、運営担当が12人（臨時職員9人含む）。芸術監督については、2002年、2003年度はプ

ロデューサーとして2004年度からは芸術監督として財団が委嘱している。

　初代芸術監督の平田オリザは市が選任したが、2代目からは公募による。市と協議はするが、決定は財団。当初、演劇2つとダンス1つのレジデントカンパニーを持っていたが、あり方を見直し、指導者的存在のアソシエイトアーティストを残した。アソシエイトアーティストは呼称のみで、雇用関係ではなく、委嘱もしていない。松井憲太郎館長は世田谷パブリックシアターなどで活躍した人で、地元出身ではないが、地域のことを大変よく勉強している。

　2016年度は小・中学校7か所にアウトリーチした。教育委員会の協力は特にないので、実施するかどうかは校長先生の考えによるところが大きい。小学生のときに経験した子は、中学生のときの反応が良い。

　建築物としては、水辺の演出が見栄えがするということで、好評（水と光の演出）である。広場としてはどこからでも入れるところが良いが、管理側から見るとネックとなることもある。また、市民ボランティアとして、レセプショニストに50人程度登録している。実働は固定化している（地域の主婦が多い）。1,000円／回の有償。

case11-02
舞台芸術全般の上演を目的
とした「劇場型多目的ホール」
（メインホール）

——地域文化を継承していく場

　開館当初は、高齢者や子どもたちをターゲットとしており、それが今では
『地域に根付いたもの＝地元の文化』を含む創造事業等を展開し、芸術監督
とアソシエイトアーティストが持続的に地域に関わり続けている。常に新し
い分野を取り入れたプログラムを発信している印象を受けた。今シーズンの
2つの新たな試みも、とても興味深いものであった。

　新たな試みの1つは、地域の新しい祭りづくりである。"祭り"は、季節
の節目に人々が集まり、大地の恵みを祝い、それをともに食し、獅子舞や神
楽などの芸能を捧げるというもので、それは、人々の生活とともに時にカタ
チを変え、時に原型を保ちながら受け継がれているものである。そんな"祭
り"を劇場の新しい位置づけである〈新しい広場〉で行う計画を立てている。
そして、もう1つは海外のアーティストとのコラボレーションプログラムで
ある。海外からのアーティストを迎え入れることにより、新しい出会いや発
見が期待でき、それによる化学反応が起こることも考えられる。このような
取り組みは、市民のつながりを築く場として、劇場の新しい価値を見出して
いる。

　公共財としての公共文化施設を考えたとき、ホール利用だけにとどまらず、
「新しい広場」の活用方法により、今までとは違うターゲット層の取り込み

が可能になり、文化・芸術によるまちづくりの可能性が広がっていると感じた。

　公共文化施設の理想は、どの世代のどんな市民にも幅広く活用されることである。キラリ☆ふじみは、ホール利用に特化せず、地域の文化を継承していく場としての位置付けや新しいものを受け入れる場としては先進的であった。

　キラリ☆ふじみは、施設のファンを広げる手法と文化・芸術そのもののファンを広げる手法を取り入れられていると思った。やはり、文化施設には多面的な側面を持ち合わせることも重要であり、キラリ☆ふじみのように、近隣市とは競合しうることのないもの（独自性）が必要である。

CASE 12 小金井 宮地楽器ホール
さまざまな交流や憩いの場

──育成・投資目的の「市民芸術振興事業」

　2016年度の決算額は、3億3,100万円強（うち、指定管理料 約2億2,200万円、チケット等収入約2,800万円）。2017年度の予算額は、3億2,000万円強（うち、指定管理料 約2億2,500万円）。

　育成・投資的側面が強く採算が望めない「市民芸術振興事業」にも積極的に取り組んでいるため、決算額に占めるチケット等収入の割合は低めである。大ホールが578席とコンパクトなので、事業については、収支比率50％を目標に取り組んでいる。なお、2016年度は、主催14有料公演中10公演のチケットが完売。2016年度の全体稼働率は、区分単位で85.7％、日単位で94.7％（大88.5％、小96.7％）と高い。来館者数は貸館利用を含めて32万5,093人。

　多くの人が通勤・通学に利用する駅前に立地している分、都心や沿線の他施設にアクセスしやすいという側面もある。そこで、2つのポイントを重視して事業を企画している。1つは「近いから行く、行ける事業」。いまや4人

case12-01
小金井市内の道路がデザイン
された大ホールの緞帳

に1人と言われる高齢者や、子ども連れ、障害者などの中には、都心まで行くのは難しいが、近くで観られると嬉しいという人がいる。こうした層は市の文化施設にとって大事なお客様だ。

　2つ目は「独自性、企画性がある事業」。ほかでしていない事業をすれば、市外からの集客が期待でき、人が集まり、賑わいにつながる。他市の人から自分の市のホールを評価してもらえば、シビックプライドにもつながる。

　「独自性、企画性がある事業」として、小金井市ゆかりの人にスポットをあてた「FOCUSこがねい」というシリーズがある。具体的には、のだめカンタービレの音楽監修で有名なN響の茂木大輔をはじめ、小金井市ゆかりの音楽家を中心に編成した室内オーケストラの事業を毎年開催している。アーティスト自身も、「地元のコンサートだと、美容師さんや近所の人なども誘いやすい」などと喜んでいる。また、演奏家たちが自主的にSNSで発信してくれるので、毎年好評を得ている。そのほか、演劇界で注目されている岩井秀人、松井周も小金井出身で、トークセッションを行ったりしている。

── 民間事業者が運営するメリットと課題

　常勤職員数は館長を含めて11人。事業担当が4人で、運営・管理担当が6人。指定管理者の募集要件として、専門的人材を確保するための項目を特に

設けたわけではないが、運営の質を重視するため、提案内容に比重を置いて評価した。

　ホール運営は特殊なノウハウを必要とするので直営は考えず、費用対効果が期待できる指定管理者制度を開館当初から活用することとした。指定管理期間は小金井市の基準で最長の「5年」としている。1期目は7者から応募があり、2期目は2者から応募があった。

　一般論として、指定管理期間の1年目はバタバタし、最終年度は次期の応募の準備に追われるため、指定管理期間が5年間の場合、じっくり取り組めるのは、あいだの3年間と言える。劇場法にある人材育成の視点でみると5年間は短く、近年は「7年」とする事例も見受けられる。ほかに、5年間の評価が一定以上なら自動更新するという事例もある。しかし、指定管理期間が10年など長くなりすぎると、応募する側にとっては光熱水費や人件費などを見通すことが難しくなり、提案リスクが高くなる。

　市とは、月1回、月次報告に基づき定例の打合せを行っている。小金井市の指定管理の業務基準に「指定管理者には、多種多様な事業を積極的に行うことで、交流センターに関心がなかったり、芸術文化が縁遠いと考えている人を振り向かせる努力が求められる」とあることから、指定管理者として、アウトリーチやワークショップなど市民芸術振興事業にも取り組んでいる。また、施設をうまく使うための講座を開催するなど、市内NPOや大学等と連携して子どもを含めたお祭りイベントを実施することなどもしている。こうした取り組みは、条例や計画の推進にもつながっているという印象を持った。

　開館当初は「小金井市民交流センター」としてオープンしたが、近隣市がネーミングライツを導入したこともあり、2015年度から導入した。年間500万円×5年間で公募したが、応募があった2社とも年間300万円×3年間の提案だったため、選定審査会で提案どおり決定した。ネーミングライツ料は市の歳入としている。基金等への積み立てはしていない。

──施設は駅前広場の一部

　駅前に立地しているため、施設も駅前広場の一部であるという意識で運営

している。市民は、バス待ち、集合場所、自習、練習後のミーティングなど、さまざまな目的で来館している。管理上の難しさもあるが、市民に身近な施設でありたいと考えている。

　開館後に、ホールホワイエのカフェコーナーと授乳スペースをつくった。市民は都内のさまざまなホールを知っているので、ホール内のカフェコーナーは最低限のインフラだと考える人が多く、クロークを改修した。壁面には市内の名所旧跡の形を緯度経度とともにデザインしたグラフィックアートがあり、グッドデザイン賞を受賞した。

　「小金井 宮地楽器ホール」は、JR中央線「武蔵小金井」の駅を降りてすぐの、駅前ロータリーの一角にある。ガラス張りの建物は開放的で、館長の「駅前広場の一部として施設を運用している」という理念と相まって、エントランスロビーには多くの市民が寛いでいる様子が視察時にもうかがえた。

　具体的な工夫として、エントランスロビーの一部を、マルチパーパススペースとして貸し出し可能にしていることが興味深かった。地下に市民ギャラリーがあるが、ちょっとした展示をするために、意外なほど需要があるとのことだった。同様に、エントランスロビーの一部にある「スペース『N』」という空間も、貸出がない時間帯は開放し、居心地の良いスペースとなっている。ふらりと入りやすいエントランスロビーになっていることで、バス待ちや、集合場所など、さまざまな目的で利用されているという。施設の玄関であるエントランスロビーを、市民の交流を生む空間としてうまく活用しているという印象を持った。

　事業の内容を見ると、市民をターゲットにした「近いから行ける事業」と、周辺からの集客も見据えた「独自性のある事業」を組み合わせ、2016年度は主催14有料公演中10公演のチケットを完売したそうだ。また、文化・芸術が縁遠いと考えている人を振り向かせる努力として、アウトリーチやワークショップなどの市民芸術振興事業にも取り組んでいる。鑑賞事業と裾野を拡げる事業を並行して実施することは、現代の公共文化施設の在り方として、欠かせない視点だと思う。

　公共文化施設グループでは、大都市近郊の公共文化施設としてどのような

運営が望ましいのか、またそれを実現するためにどのような組織や専門的人材が運営することが適当なのかを探りたいと考えている。実は、小金井 宮地楽器ホールを視察するまで、運営主体については、直営・市が出資した財団法人・民間を比較すれば、民間に近づくほど、事業数そのものが減るか、収益を見込みやすいジャンルの鑑賞型事業に偏重するのだろうと想定していた。

　しかし、この施設は十分な稼働率があるなかで自主事業も実施し、その内容が鑑賞事業に偏っているわけでもない。民間が運営することに対するイメージを、いい意味で裏切られた感がある。行政が、このような民間の頑張りを適切に評価できる仕組みを整えれば、指定管理者制度の可能性が広がるのではないだろうか。

CASE 13 所沢市民文化センター ミューズ
誰もが気軽に本物の芸術体験ができる

──大・中・小個性的な３つのホール

　2016年度の決算額は約7億9,200万円。内訳は、施設管理運営費が約4億7,360万円で、自主文化事業費が約2億9,480万円。2017年度の予算額は約8億円。内訳は、施設管理運営費が約5億円で、自主文化事業費が約3億円。

　経費負担の大まかな考え方として、施設管理運営費は指定管理委託料とレストラン・自販機収入で賄い、自主文化事業費は利用料金収入と入場料収入で賄っている。

　2016年度の事業内容について、パイプオルガン体験や能楽等の体験・活動等事業が8事業、クラシックやポピュラー、演劇、寄席、映像・展示等の主催公演事業が62事業、市民参加型事業が7事業、出前寄席や音まちコンサート等のアウトリーチ（地域活性）事業が19事業、育成や支援を目的とした事業が6事業。指定管理期間ごとに定めた運営方針に沿って実施し、サービスの向上を図っている。

case13-01
日本最大級のパイプオルガン
を備えたシンフォニーホール

　ホールの会員組織「ミューズメンバーズ倶楽部」は会員数4,000人。「人口35万人の所沢市で、これだけの会員数を獲得していることは誇りで、今後も入会したくなるような公演ラインナップを用意したい」と言う。

　大ホール、中ホール、小ホールの稼働率は平均で、日数ベースで約80％、区分ベースで約70％と高い。一番稼働率が高い施設は展示室で88.1％であった。そのほか10諸室の平均稼働率は61.5％であった。来館者数は、2015年度で46万5,321人、2016年度で48万4,181人（いずれも実績）。

　ミューズの特色である、大・中・小の個性が異なるホールを上手に活用し、幅広い世代に向けて、気軽に行ける公演から玄人好みの公演まで、幅広く展開することを心がけている。公共ホールとして、誰もが気軽に本物の文化・芸術体験ができるように、チケット料金を都内と比較して2～3割安く設定し、差別化を図っている。多目的ホールが多い中で、2,000席のシンフォニーホールを備えていることは大きな特色。このホールにはパイプオルガンもあるので、1994年度から継続してオルガンスクールを開講している。

　地域に根ざした文化・芸術を振興するため、2005年度から、能楽ワークショップやミュージカルワークショップのほか、2006年度から市内12か所のまちづくりセンターへの出張公演など、地域と連携・協力した事業にも取り組んでいる。

事務局は、事務局長を含めて15名の体制である。事業課に正職員3名（内2名がリーダー）を置き、5名の嘱託職員とともに音楽等の事業企画や受付等の利用者サービス向上を行っている。ロケーションサービスも利用者サービス向上の1つである。

──施設が文化・芸術行政の中心的役割

市は、文化振興ビジョンの策定や、文化団体を所管している。具体的な事業については、財団が担い、企画から実施までを任されている。

市が進める「音楽のあるまちづくり」や文化振興ビジョンを念頭に、財団として、市役所ロビーでのミニコンサートや市内12か所のまちづくりセンターなどを行っている。また、ミューズのPRのため、そのほか行政との連携として、転入者にコンサートの招待券をプレゼント（市民課と連携）したり、ドラマなどのロケーション場所を提供（商業観光課と連携）したりしている。

2018年12月から大規模改修に入るため、指定管理期間が2017年度のみ1年間だけである。指定管理者の選定はこれから行われるため、2018年度以降の運営方針は未定（取材当時）。

客席数が2,000席を超える音楽専用の大ホールや、特徴的な馬蹄形で、演劇に適した800席の中ホールはもちろん、各ホールのホワイエや通路までもがゆったりとしており、"非日常"の空間となっていた。ドラマ撮影にもよく使われていることが頷ける、とても美しい施設だ。

3つのホールを活用して幅広く鑑賞事業を展開しているので、ホールの稼働率は高く、集客は40万人を超えているが、施設の規模が大きいため、管理費だけで約5億円、自主事業に約3億円と、市の施設としては、ランニングコストも相当なものだ。また、開館後20年が経過したため、設備の更新を含め施設の改修時期を迎えている。施設が大きい分、改修費用も膨らみ、負担を平準化するため、来年度からPFI事業で改修するという。

自主事業は、施設機能を活かし、施設の個性をアピールするために重要である。ミューズでは、ホールを活かした鑑賞事業だけではなく、各種ワークショップなどにも取り組んでいるが、収益だけにとらわれるのではなく、市

や施設の個性を活かした事業や社会的に求められている事業を展開しようとすれば、事業費を入場料収入だけでカバーすることは不可能であり、やはりここにも一定の費用負担が必要になる。

今回の視察では、市の文化施設として精力的に活動していることに大いに刺激を受けたが、財政負担の面で相当な覚悟がいることもわかった。所沢市は、「音楽のあるまちづくり」をスローガンにするなど、文化・芸術を市の特色の1つとしているからこそ、これだけの投資ができているのであり、これを単純に各市に置き換えることは難しいだろう。

市が公共文化施設をつくろうとするときには、それをしっかりと運営する覚悟を持つことが必要だ。それだけに、整備を計画する時点で、ランニングコストが過剰な負担とならないように、市にとって必要な機能をしっかりと見極めなければならないと思った。

CASE 14 三田市総合文化センター 郷の音ホール
誰もが文化に親しみ、文化を創造する施設

——近隣市も利用できる施設

2016年度は鑑賞、創造、普及・育成、交流、その他自主プログラムを合わせて51事業を実施。2016年度決算の歳出合計金額は約3億600万円で、指定管理料は約2億900万円。年間の事業計画は、鑑賞系、育成系、創造系で概ね決められた事業数に基づき指定管理者が具体的な案を提示し、外部評価委員会の承認を受けて実施する。

貸館で利用料金を稼ぐことも大事な点。駐車場が400台分あるので、三田市内だけではなく、篠山、三木、神戸市北区も利用範囲だと考えている。私立幼稚園などの利用が増えつつある。2016年度の稼働率は、大ホール45.5％、小ホール66.2％、リハーサル室98.7％、練習室は3室あり、97.5％、98.4％、99.0％（いずれも日数ベース）。託児室は6.7％と、ほとんど使用されていない。

当初は館内に飲食可能な部屋がなかったため、打ち上げができる部屋の要望が高く、リハーサル室を飲食可能とした。ランチタイムコンサートなどにも活用しており、稼働率が高い。リハーサル室は、移動用パネルを持ち込んで展示を行うこともある。

練習室は1時間単位で借りることができ、料金がかなり安いため、稼働率が高い（指定管理者としては料金設定を見直してほしいところ）。館内に和室や会議室も備えているが、利用は少ない。三田市は地域にコミュニティーセンターがあるため、そちらで一定の需要が満たせているのではないか。2016年度の来館者は約20万人。

──鑑賞事業と育成事業

鑑賞系の事業は、「ベルリンフィルの12人のチェリストたち」など、質が高く、1,000人規模のホールでも低額で提供できるものを企画している。また、貸館事業と重なるような内容は共催とし、3分の1のチケット負担にとどめるなど、リスク回避を行いながら事業の充実に努めている。

育成事業として、小学校で授業の2時間分をあてて生演奏のコンサートをしている。2016年度は20校中14校で実施した。演奏者は2年に1回選抜し、一般財団法人地域創造から講師を招いて3日間の研修を実施して派遣する。

ベルリンフィルのチェリストの公演とあわせて子ども向きのチェロ講座を実施したほか、よしもと新喜劇に市民が登場するなど、市民参加型の事業に力を入れている。また、地元の人の講演などを意識的に実施している。人材情報は、新聞社支局やタウン誌などから得ている。

「サポーター倶楽部」は自主事業の際の市民ボランティアで、レセプショニストなどとして活躍している。交通費程度の支給があり、交替で演目を見られることがメリット。35人登録しているが、お盆などは人手確保が難しいこともある。「We LOVE さとのね」は事業企画する市民組織。ギターの伴奏で昔の歌を大合唱する企画や、七夕フェスティバルで土に還るゴムの風船を市内5か所から一斉に飛ばす企画など、市民が広く参加でき、＋αの楽しみがあるような企画を工夫してもらっている。友の会の会員数は約2,000人。

中学生の職業体験（トライアルウィーク）を受け入れている。15名×4班で、裏方の体験もしてもらっている。職員体制は館長以下パートを含めて13名。事業・広報担当4人、窓口・予約担当9人（うち1人は経理を兼務。半数はパート）、舞台常駐4人。このほか、設備・警備を日本管財、清掃を大林ファシリティーズなどが担当。

市としては、専門性を確保するために、開館当初から直営ではなく指定管理者制度を導入した。指定管理者が事業企画アドバイザーを置き、事業プロデュースの講座を開くなどしている。このほか、指定管理者は非常勤で2人〔音楽、演劇（音楽以外）〕の事業アドバイザーと契約している。レストランは指定管理業務に含め、再委託を認めている。

——民間事業者のメリットと課題

指定管理者である株式会社JTBコミュニケーションデザイン同士の横のつながりで情報交換ができている。長期的に計画したい事業もあるが、指定管理期間内だと思い切って取り組みにくい。幸い3期目も選定されたので、これまでの蓄積を生かしてアウトリーチなどにも取り組めるようになった。

指定管理者の選定は、華やかな事業や、華やかな経歴に目が向けられがちだと思うので難しさを感じる。しかし、3期目ということでこれまでの運営実績を通して拾い上げた声を活かした提案ができ、それを評価してもらえて良かったと指定管理者は言う。

指定管理者に100％の権限があるわけではない。10年が経過して修繕が必要な箇所が出てきたため、市と協議を行っているが、防犯灯など市民の安全に直結するものは予算がつくものの、駐車場の精算機やホールの客席などはなかなか手が付けられない状況。市の担当者には人事異動があるので難しさはあるが、市役所とホールが近いので連携は密にしている。

郷の音ホールは、整備にあたって建設市民委員会を設置し、管理運営計画策定にあたっては市民委員を含む検討懇話会を設置するなど、市民とともに検討してきた経過がある。そのため、管理運営計画に沿った事業展開ができているかを「運営評価委員会」（学識3、企業グループ1、音楽系団体1、文科系団体1、

case14-01
企画展などの作品展も行える中庭

市民3) が評価している。運営評価委員は、学識委員は年3回以上、その他の委員は年6回以上、自主事業の実態調査を行っている。

市の財政事情から、ネーミングライツを導入できる施設を洗い出し、郷の音ホールには導入することが決まった。管財担当部署と協議して価格を設定（大ホール最低年額13万円、小ホール最低年額12万円）したが、応募はなかった。

――指定管理者制度には運営評価の仕組みが重要

郷の音ホールは、400台分の駐車場が確保され、施設周辺には開放的な広場や散策に適した河川敷があるなど、恵まれた敷地条件に建っている。建物内部にはゆったりとしたロビー空間を持ち、居心地の良い施設だ。

話を聞くと、地域に愛される文化施設を目指して取り組んでいることが伝わってきた。リハーサル室や練習室といった、コンパクトで安価に利用できる部屋の稼働率は高く、市民のサークル活動等で頻繁に活用されているようだ。自ら活動する市民のための文化施設としては、じゅうぶん役割を果たしていると言えるだろう。この施設は検討段階から市民の意見を積極的に取り入れてきたそうで、組み合わせると「響」という字になる「郷の音ホール」という美しい愛称も市民公募で決まったという。市民が企画したイベントや、広場を活用した展示など、自ら活動する市民だけではなく、幅広い層から親しまれる施設を目指して取り組まれていることがわかった。

大・小ホールの稼働率は低めにとどまり、大ホールの稼働率は日数ベースで5割を切っている。想定した利用で満足できていれば稼働率に固執する必要はないのかもしれないが、ホールの整備や運営には相当なコストがかかるし、ホールを活用して多彩な事業が展開できれば、より広い層が施設を利用することにつながるだろう。

　施設を整備するときには、まず、どのように使うのか明確なビジョンを持って適正な規模で計画することが重要だろう。そして、稼働率を高く目標設定する場合には、自主事業の本数を充実できるように事業経費を見込むことや、施設利用料を低額に抑えることなど、運営方針を戦略的に立てる必要があるのかもしれない。

　また、運営評価方法が興味深かった。学識経験者、文化団体、市民などで構成された運営評価委員会が、自主事業の実態調査も行うという。指定管理者制度はコスト面でのメリットが強調されがちだが、文化施設の運営は施設管理だけではないため、コスト削減に偏った評価をしてしまうと施設機能を活かした運営ができず、宝の持ち腐れになりかねない。

　郷の音ホールは、開館以来、民間の事業者が指定管理を行っているが、企業利益ばかりを追い求めるのではなく、地域の文化施設としてのバランスを考えて運営努力をしているように見受けられた。指定管理者制度には課題も多いが、指定管理者制度を導入する場合には、このような運営評価の仕組みを整え、コスト削減のみに偏らず、文化行政の方向性や利用者・市民ニーズとの適合性など、多方面の視点を取り入れて評価できるようにすることが大切だと思った。

CASE 15 兵庫県立芸術文化センター

阪神・淡路大震災後の復興のシンボル

——経済波及効果71億円!?

　事業展開コンセプト「日本一のお客様に支えられ、お客様とともに成長し続けるパブリックシアター」をもとに、①多彩な舞台芸術の「創造・発信」、②芸術性豊かなものから親近感に富むものまで「幅広いニーズ」に応える演目、③舞台芸術の「普及」・県民の創造活動の支援を行っている。

　そのほか、普及事業：広報普及イベント（公開リハーサル、レクチャー・トーク、ワークショップ、バックステージツアー、企画展示、西北活性化協議会イベント等）、楽団アウトリーチ活動等を行っている。主催公演入場率約90％、主催公演満足度95％超、年間公演入場者数約50万人、年間来館者総数約70万人（公演入場者数約50万人）、経済波及効果（生産誘発効果。年間）は、県内で71億円（全国149億円）である（2015年日本総研調査）。開館後10年間の運営による累計（推計）は、県内687億円（全国1,423億円）にのぼる。

　阪神・淡路大震災（1995年）から復興のシンボルとして被災地に県民の支持と共感に支えられ、県民とともに立ち上がった劇場である。このような背景から、人々の元気とまちの賑わいのための施設であると考えている（劇場をみんなの広場に）。また兵庫県民のため県内各地を回り、お客（チケット購入者、上演者・施設利用者、劇場を利用しにくい県民）のために日々主催公演を始め劇場運営を行っている。

　結果として、センター開館直後、阪急西宮北口駅乗降客が、月3万人以上増。地域振興の一躍を担い、地元商店街が賑わい、新たにスポーツ施設や良質な住宅群が建ち、劇場関連ショップや「阪急西宮ガーデンズ」が新規にオープン、甲南大学西宮キャンパスが開設し、関西住みたい街ランキングでトップとなった（不動産情報会社等各種調査）。

　県の本庁との役割分担については、施設の運営や事業展開については現場が権限と責任を持ち、本庁は主に予算の確保等の手続き的なことや議会対応

case15-01
駅から2階渡り廊下で直結しており、広場は憩いの場となっている

等の本庁職員でないとできないことを担っている。知事が館長を担うなど先頭に立って施設運営等を行うという姿勢からも円滑に運営が行えている。

　施設を建築する際には、プロによるプロの劇場運営としてスタートしている。そのため、舞台スタッフだけでなくアーティスト等にも意見を聞き、限られた予算内でマンパワーでの対応も含め検討を行い、さまざまな用途に対応できるようにした。温かみのある施設にするため、目に触れる部分は兵庫県の木材を使用するなど人の手が入ったものを使うように心がけた。

　限られた予算内ではあるがさまざまな用途に対応できるように検討を行い機能重視で建設・運営しているため、特に改善すれば良かった点はないとのこと。さまざまなニーズに対応できるよう設備・機構を備え、熟知したスタッフにより効果的な利用をサポートするマンパワーが好評である。

　ネーミングライツ導入については、トップセールスにより知事が決定された。大・中・小ホールでネーミングライツ取得者は異なるが、現在ネーミングライツは継続できている。しかしいつまで継続できるかについては非常に不安に思っている部分がある。業績等の決算が出る時期については業績の確認を行うなどしている。また、企業のトップにホールに来てもらい、多くの人に喜ばれている成果を見せることが重要だと考えている。

──日本一のお客様に支えられ、お客様とともに成長し続ける
　パブリックシアター

　兵庫県立芸術文化センターは阪神・淡路大震災後に復興のシンボルとして被災地に県民の支持と共感に支えられ、県民とともに立ち上がった劇場である。

　公立文化施設の場合は税金で建設され税金で運営されているため、どうしても施設建設の制約や運営の方向性、事業展開において、あるべき姿が自治体の地域特性や市民・県民のニーズによっても異なるため一律の運営方法があるわけではなく、難しい面がある。公立文化施設の役割をどう捉えて運営していくかにより、事業規模や事業内容、また施設としての役割も大きく異なってくる。

　兵庫県立芸術文化センターは県民の支持と共感に支えられ県民とともに立ち上がった劇場ということであり、劇場立ち上げ時の「プロによるプロの劇場」というコンセプトも明確にされて、どういうソフト事業を行うかまで想定されていたため、施設の設計においても予算の制約がある中、必要を満たし目的を果たせる施設建設が行われている印象を受けた。

　また、ソフト面についてもコンセプトとして「日本一のお客様に支えられ、お客様とともに成長し続けるパブリックシアター」を掲げており、さまざまな選択ができる多彩な事業を実施し、結果として観客比率は県民メインとなっている。

　以上のことから、施設面については設計段階からどういうコンセプトでどういう事業を行うのかを明確にし、さまざまな側面からの検討が必要である。その検討がしっかりとされていると建設後についても大きな支障がなく運営できるという良い結果であると感じた。また、ソフト面である事業についてもコンセプトや施設の役割をしっかりと明確にした上で事業等運営を実施することで集客のみならず、商店街の賑わいやまち全体の活気の起爆剤となっている。結果として関西住みたい街ランキング第1位となるなど、文化・芸術（公立文化施設）を活かしたまちづくりの成功例だと感じた。

　公立文化施設の果たすべき役割というのはさまざまであるが、明確な目的

意識を持ち設計段階から検討を深めること。また、事業運営についても同様の目的と手段を明確にし、時には時代や地域のニーズに応じた柔軟な施設運営が必要であると感じた。

考察「公共文化施設のあり方」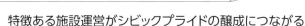

特徴ある施設運営がシビックプライドの醸成につながる

今回、視察した全ての施設で当然のように「子ども・若者の興味・関心を高める取り組み」を行っていた。幼いころから良質な文化・芸術に触れる機会があることは、教育的な面からも大切である。演劇のワークショップなどコミュニケーション力の向上となる取り組みを行うなど、各地域の実情に応じた形で積極的に取り組むことが必要ではないだろうか。

また、文化・芸術への関心を高めることで、10年後20年後を見据え、将来的に豊かな人生を送ることの一助となり、結果的にまちの活性化にもつながるものと考える。これらのことから、公共文化施設では積極的に、子ども・若者向けの事業に取り組むべきだと考える。

「社会包摂の理念に基づく取り組みの実施」については、多くの自治体でニートやひきこもり等の社会課題が顕在化している。また、子どもの貧困の連鎖ということも言われる中、これらの社会課題解決のために文化・芸術を活かし、さまざまな面で生き辛さを感じている人たちに自己肯定感を取り戻してもらえる取り組み。また、家族で感動体験を共有することで、家族のコミュニケーションを活発にするような取り組みを行うなどが考えられる。芸術愛好者を対象にするわけではないため、参加費等で採算を取ることは難しく、財源の確保は課題だが、社会包摂の理念に基づく取り組みは、これからの文化施設が取り組むべき使命とも言えるのではないか。

社会包摂の取り組みを行うことで、結果的にさまざまな年代や立場、どんな人でも参加しやすいような取り組みとなり、公共文化施設自体が刺激的でありながら居心地の良い空間となる。更にそこに集まる人たちのつながりを

生むことから、地域コミュニティの形成も進んでいくものと考える。

　公共文化施設は、社会課題解決だけでなく、希薄化していく地域のつながりを再構築するような「文化的コモンズ」の発生装置ともなり得るのではないだろうか。

　「特に招聘した専門的人材」に該当があったのは、直営または、非公募の財団法人が運営している組織であった。社会包摂の理念に基づく取り組みをはじめ、文化施設に求められる事業レベルが高度化・多様化していることを考えると、経験豊富でスキルを持った専門家が運営に加わることが望ましい。今回の結果は、運営主体を検討する際の参考になるのではないかと思う。

　最後に、2年間でさまざまな施設を見学したが、あらゆる分野で平均点をとるより、それぞれの地域や市民性に応じた特徴ある施設運営を行っている施設のほうが印象に残った。これら多くの施設で共通していたことは、データに基づく分析を行い、どのような事業や役割が必要なのかを見極め、特徴として打ち出していることであった。

　また、どれだけ良い取り組みを行っていても、地域住民等に理解をしてもらうのが難しいことから、運営実績等についての広報や説明責任を意識して積極的に行っていた。

　これらが、地域住民の理解につながり「ここにしかない」「ここに必要」な公共文化施設として、地域の誇りとなり住民に支えられる公共文化施設となっていくのではないだろうか。

視察内容総括 (参考)

　施設を活用して文化・芸術によるまちづくりに成功している事例を数多く視察したが、その特徴はさまざまであった。そこで、運営の特色を次のような視点で整理してみた。なお、あくまでも研究員の主観にもとづく整理であるため、具体的な施設名は伏せることとする。

① 市民の自主的な文化活動の支援

—— 自ら活動する市民や市民グループの練習・発表の場として利用しやすいか。

② 社会包摂の理念に基づく取り組みの実施

—— 文化・芸術を通して、文化・芸術と馴染みがなかった人をも社会に包み込むような事業を展開しているか。

③ ホール（施設）を活用した多彩で魅力的な催しの企画・実施

—— ホールなど文化施設特有の施設条件を活用し、多彩で魅力的な催しを企画・実施しているか。

④ 子ども・若者の興味・関心を高める取り組み

—— 将来世代を見据えて事業展開をしているか。

⑤ 地域コミュニティの形成

—— 事業の企画や実施を通して、市民や地域が連携し、絆を育み、地域への愛着を深めるなどしているか。

⑥ シビックプライドの醸成

—— 施設があることが市民の誇りとなっているか。

⑦ 特に招聘した専門的人材

—— 特に招聘した専門的人材（芸術監督・マネジメント）がいるか。

⑧ 来館者の性質

—— 来館者は、地域からが中心か、広域からが中心か。

	項　目		A	B	C	D	E	F	G	H
1	市民の自主的な文化活動の支援		☆☆							☆☆
2	社会包摂の理念に基づく取り組みの実施		☆☆☆	☆☆☆		☆☆☆				
3	ホール（施設）を活用した多彩で魅力的な催しの企画・実施			☆☆	☆☆☆	☆	☆	☆☆☆	☆☆	☆
4	子ども・若者の興味・関心を高める取り組み		☆	☆	☆	☆	☆	☆	☆	☆
5	地域コミュニティの形成		☆☆☆	☆☆☆		☆☆☆				
6	シビックプライドの醸成		☆☆	☆☆☆		☆☆		☆☆☆	☆	
7	特に招聘した専門的人材	芸術監督		○	○	○		○		
		マネジメント	○			○		○		
8	来館者の性質（地域型 or 広域型）		地域型	地域型	地域型	地域型	地域型	広域型	広域型	地域型

豊中市立文化芸術センター

デザインと音響を兼ね備えた「大ホール」

客席数は1,344席。オーケストラピット使用時は1,216席。
音楽主体として、計画。2階席からの勾配が急なイメージがある。
壁面の素材は大阪府産（高槻産、豊能産、河内長野産）の杉材（集成材）であり、デザインと音響（音響反射板設置時の残響時間：1.9秒）を兼ねている。

耐震不足から早急な建て替え

基本構想では美術館と博物館の複合施設とする予定で、PFI事業化の検討なども行っていたが、市民会館の耐震診断の結果、直ちに建て替えを進めることになった。美術・博物部門を展示機能中心に見直すことで、総事業費を抑制した。

総事業費を抑えるためには小ホールをとりやめる案もあったが、首長の方針により、小ホールを残すこととなった。

PFIの導入については、耐震診断結果により耐震不足であることが判明し、早急に建て替えを進め、PFIの仕様書作成等の時間を省くため、PFIの導入は行わなかった。

日本で初、楽団が運営に

日本センチュリー交響楽団は、5年前からとよなか音楽月間に参画してきた。劇場のフランチャイズとして楽団が関わる事例はあるが、運営に関わるのは日本で初めてのことで、全国的に注目を集めている。日本センチュリー交響楽団から、文化芸術センターに2名出向し、企画にも積極的に係わっている。今後、市民との連携や、子どもたちに向けた事業企画にも取り組みたい意向。

楽団が運営に係わるメリットとして、ホールの音づくりに深く関われたことがあげられる。指定管理者として、腰を据えて取り組むことができたからこそ、試行錯誤してこのホールに適した各楽器の配置が解明できたし、これを利用者に提供することもできる。

市が文化・芸術推進プランや運営方針を明確に示しているため、事業に求められていることが明確で、指定管理者としては事業を企画しやすい。

3施設（豊中市立文化芸術センター、アクア文化ホール、ローズ文化ホール）一体での管理運営となるが、それぞれに一定の人員数の確保は必要であるため、人件費等のコストダウンが図れるわけではない。

豊中市には財団がなく、指定管理者に丸投げしてしまうと市の職員のスキル（ノウハウ等）がなくなるのは困るため、大学や市民と協働で行う事業などを、あえて直営としている。

アウトリーチ（普及型事業）・市民協働・共催事業・豊中の特色事業（とよなか音楽月間）等を市が担当している。

運営評価は、第三者機関による評価を行

う。指定管理期間5年間のうち、3年目に
実施予定。選定評価委員会（税理士または公
認会計士1、社会保険労務士1、文化・芸術の有識者
3）に、公募市民2名を加えて、「市民ホー

ル選定評価委員会」を設置する。
　市民ホール選定評価委員会は数値に現れ
にくいところ（取り組み内容等）についても、
評価している。

予想を大きく上回る利用
こだわりのつまった建築

　利用率は7割程度を見込んでいたが、予想を大きく上回っている。7、8月は、大・小ホールとも100％で、8割は本番利用。このため、舞台等スタッフへの負荷が大きいことが課題。稼動増に対応するためのコストアップが生じている。

　吹田市のメイシアターが休館中ということもあるが、利用者等の口コミが周知されてきたのではないかと考えている。

　また、2016年10月にプレオープンし、16年度だけで、友の会会員数が約2,200名獲得できた。このうち、およそ7割が市民となっている。

　2017年度の文化振興事業の予算は約9,500万円で、50事業程度を実施する。収益を確保しづらい普及育成型の事業を含めて、収益率70％を目標に取り組んでいる。

　地震に強い組積造を採用（国会議事堂と同じ）し、大ホールには大阪府産の杉材により壁面の集成材を採用している。

　豊中市立文化芸術センターの床材はブラジル産のスクピラという堅くて重い木材とし、バリアフリー法にも配慮し、滑りにくい床にするために、スリット加工を施している。

　時間の流れをテーマにしているため、ホワイエ等の天窓から自然採光が入る設計となっており、時間帯で太陽光の射す方向が違うことによる壁面への光のデザインを楽しめる設計となっている。また、豊中市で発見されたマチカネワニのレプリカが壁面にあり、これも時間の流れを感じる空間と

しての演出の1つである。

　和室のブロック壁は、当初は不評であったものの、今では伝統文化系の団体からも、モダンで良いと好評を得ている。

　その他、駅前に立地しているため、公共交通機関の利用を前提としたコンセプトであるが、駐車場、駐輪場ともに、ピーク時には不足している。車は周辺の有料駐車場の利用を促し、自転車等は警備員による監視を強めて、決まった場所以外に置かれないように注意している。

日本センチュリー交響楽団
魅惑のクラリネット演奏

　センチュリー豊中名曲シリーズVol.3の鑑賞をさせてもらい、非常に素晴らしい演奏を聴くことができた。個人的に、クラリネット協奏曲（モーツァルト）をはじめて聴いたということもあるが、クラリネットの広い音域に改めて感動した。低い音域では、音色・音量ともに豊かであり、低音ならではの深い響きを感じ、高い音域では、よくとおり刺激的な音色を奏でていた。クラリネットの持つその豊かな表現力に言葉に言い表せない魅力を感じた。

　ベートーヴェン交響曲第6番ヘ長調　作品68「田園」も5つの楽章それぞれの光景が本当に目に浮かぶような音楽であった。楽曲全体が、田舎で過ごした日々の自然はもちろんのこと、それに伴う感情も表現されていた。なりやまない拍手の中、刺激的なホール中に懐かしさを感じることができ、とても心地良い時間を過ごせたことに感動した。

それぞれの市が抱える悩み

　コミュニティ創生グループは、人口減少・核家族化など、社会状況の変化により、人と人のつながりが大きく変化する中で、文化・芸術を活かした「コミュニティの活性化」が、すなわち文化・芸術を活かした「まちづくり」になると考え、研究をはじめた。

　文化・芸術の取り組みを通じて、行政と他主体との関係を見直し、図表06-01のようなネットワーク形成を新たに構築する必要がある。

　これまでは、行政と地域団体、行政とNPO、行政と教育機関といったように、行政と他主体の二者関係が複数あり、行政が中心になって取り組みを推進する手法が主であった

コミュニティ創生グループ 06
コミュニティの創生から活気あふれるまちづくり

が、今後、文化・芸術の取り組みをさらに充実させるためには、行政、地域、NPO、企業、教育機関といったさまざまな主体が、それぞれにネットワークを築き、多種多様の活

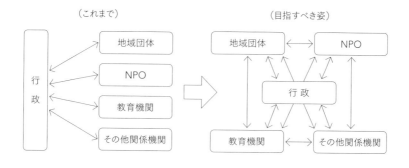

（これまで）　　　　　　　　　　　　　（目指すべき姿）

筆者作成

図表 06-01　文化・芸術の取り組みにおける主体性のネットワーク図

動を展開していくことが必要である。

　2016年度は、「文化・芸術」と「人と人のつながり」、「コミュニティの活性化」という視点から、先進事例を視察し、行政の果たす役割、効果的な取り組みについて調査研究を行った。

視察先選定について

　行政とNPOが協働で取り組みを行っている事例の中から、「トイレをテーマとしたトリエンナーレ（3年に1度開かれる美術展覧会）＝大分トイレンナーレ」をはじめ、広範な文化・芸術施策を展開している大分市（大分県）、まち全体を博物館としてNPOと協働で取り組みを行っている「萩まちじゅう博物館（山口県萩市）」の事例をまず紹介する。加えて全国的に注目されるアートフェスティバルの開催につながった事例として石川県珠洲市を視察し行政と他主体との関わり方を調査・研究する。

CASE 16

大分県 大分市

トイレとアートの芸術祭

—— 世界でも他に例のないアートフェスティバル、トイレが舞台?

　大分市では、2014年に策定された「大分市文化・芸術振興計画（2020わくわく大分 文化・芸術ゆめプラン）」の基本理念である「人とまち 文化・芸術で輝く大分市」を基に、各種文化施策に先進的に取り組んでいる。なかでも、2015年に大分市中心市街地のトイレを舞台に開催された「トイレンナーレ」をはじめとして、市民と行政が一体となり、多彩で多様な文化・芸術の振興に取り組んでいる。さまざまな生活シーンに文化・芸術を取り入れ、そのパワーを最大限に活かすことで、このまちに住むことを誇りに思えるまちづくりを目指している大分市の取り組みは、各々の市が持つ資源の多寡に関わらず実施できる、文化・芸術を活かしたまちづくりの先進事例である。

　「おおいたトイレンナーレ」は、大分市のアートを活かしたまちづくり事業として取り組まれている事業であり、トイレンナーレとは、3年に一度の国際美術を意味する「トリエンナーレ」と「トイレ」を組み合わせた造語である。2015年のJRおおいたシティ開業や大分県立美術館開館にあわせて、それらの賑わいをまちの他の場所にも伝えることを1つの目的として同年の7月18日から9月20日に渡って開催された芸術祭である。元々の芸術祭の構想はトイレと無関係だったが「普通のアートはもう十分」等の声もあったため、話し合いでたまたま挙がったトイレとアートの関係性に着目し、まちなかのトイレを活用した芸術祭となった。

—— 斬新かつユニークな芸術祭の結果

　2015年のトイレンナーレ本番に備えるため、2013年から順次実施されたワークショップやトイレの清掃パフォーマンスなどのプレイベントが、ユニークな取り組みとして国内外のメディアに取り上げられ、大きな広告効果を挙げたことで、実施に向けての確かな手ごたえとなった。これらの準備期間

を経た2015年のトイレンナーレ本番では、市内14か所のトイレアート作品の公開と8つのまちなかアートイベント、5つのまちなか体験イベントが実施され、当初定めていた13の目標値を全て達成した。主な成果としては、総来場者数18万人、広告宣伝費換算額4.9億円、経済波及効果4.2億円などである。トイレのアート作品は、全額補助金で制作されていたこともあり、公共施設のもの以外は基本的に撤去され元の状態に戻っている。そのため、現在残っているのは全部で4作品である。

──ボランティアスタッフの「ポールさん」

　観客がまちの奥深く、さまざまな場所を巡ることで、まちのもう1つの歩き方や、新たなおもしろさを発見するための仕組みとして、案内所を設置せず、まちなかを回遊しながら情報を提供する「移動式インフォメーション」として活動するボランティアスタッフを配置することに決め、2015年の5月から、市民ボランティアスタッフの募集を実施した。各種シンポジウムやインターネットを通じて募集したほか、市内の短期大学の単位を認定する制度を設けるなどしたことで、10代から60代の合計52名がボランティアスタッフとして集まった。

　事業後も「まちのコンシェルジュ」として、活動を継続することが目的の

case16-02
公衆トイレ「メルティング・ドリーム」

case16-03
「UTTM
〜 Used Toys Toilet Museum 〜」

1つであったボランティアスタッフ「ポールさん」だが、現在、市として十分なバックアップができておらず、組織化はできていないが、ポールさん同士で声を掛け合って集まるなど、活動から生まれたつながりは継続している。

——トイレに象徴される、まちの閑却された空間

　今回、おおいたトイレンナーレという名前なのにトイレ以外のイベントを実施していることに対して、おかしいのではないかという意見も見られたが、「トイレンナーレ」は即物的にトイレのみを意味するのではなく、「トイレ」

に象徴される、まちの閉ざされた空間であると広義に捉えていくのが適切であると考えているため、次回からもトイレに寄りすぎない内容で開催するそうだ。

──ホルトホールで大分の演劇人活性化

JR九州、国、県や市が行った「大分駅周辺総合整備事業」のうちの市が事業主体である「大分駅南土地区画整理事業」の中で、大分駅の南北の広場と、幅100m・長さ444mの「大分いこいの道」の整備が行われ、そのシンボルロードに面したホルトホール大分が2013年7月にOPENした。これらの事業により一体的なまちづくりが行われたことで、人の流れがほとんどなかった大分駅南側に多くの市民が集まるようになり、賑わい創出につながった。2013年の開館から毎年、自主事業として市民参加による市民ミュージカルを開催し、演劇による地域づくりに力を入れている。市民参加型にすることで、演劇経験を問わず演劇に興味を抱く人が増え、演劇を志す若者が出てきている。

──おおいた夢色音楽プロジェクト

大分市には、市民の手によるまちづくりや地域活動の活性化を目的として実施されている音楽プロジェクトがたくさんある。文化国際課が実施する「どこでもコンサート」「いかした大人たちのバンドフェス」「ふるさとコンサート」と、市民主体の実行委員会が実施する「おおいた夢色音楽祭」の合計4つの鑑賞・参加・育成型のイベントである。

「どこでもコンサート」は、身近な場所や雰囲気の良い建物などでコンサートを行い、市民が気軽に音楽を楽しめる環境をつくることで、音楽に親しんでもらうための取り組みである。年間9回程度、市民センターや公民館などで実施されており、入場無料で老若男女が楽しめるコンサートであるため、2015年度は延べ740人の来場があった。

「いかした大人たちのバンドフェス」は、大分市内が活動拠点である平均年齢40歳以上のアマチュアミュージシャンを対象に発表の場を提供することによって、文化活動の推進を図っていくことを目的としている。2016年度は

10組の応募の中から、審査員による事前選考を通過した8組が出演した。当日は雨天だったが、来場者は300人であった。

「ふるさとコンサート」は、大分市にゆかりのある若手演奏家によるクラシックコンサートである。将来を嘱望されている演奏家に発表の機会を提供するとともに、市民への認知浸透を図ることを目的としている。入場料1,000円。2015年度は500人収容のコンパルホールで実施し、来場者は364人であった。

「おおいた夢色音楽祭」は、「音楽のまち大分」を実現するための鑑賞・参加・育成型のイベントであり、中心市街地の活性化に寄与することも目的とした、おおいた夢色音楽プロジェクトにおける最大の事業である。市内の商店街をはじめ、公園や商業施設など、大分中心部の演奏可能な場所にステージを設置し、年齢、プロ・アマ、演奏ジャンルを問わず、県内外から集まったストリートミュージシャンがストリートライブを実施するイベントである。2016年度は2日間で延べ33ステージが実施され、249組968人のミュージシャンが出演した。イベント当日は雨天であったが、観客は約4万9,000人であった（前年度約5万6,000人）。イベントの運営は、市民主体の外部の実行委員会形式による運営である。大分市より実行委員会に対し、助成金を交付している。また、実行委員会では、協賛・広告の募集、出演者からの運営協力金の徴収、屋台運営、募金の呼びかけ等により運営資金の確保に努めている。

——文化や芸術に親しむ文化

大分市には、市内に文化・芸術があることが当たり前であるというような空気感が漂っていた。トイレンナーレという大きなアートイベント、大規模な文化施設が複数存在すること、芸術を学べる学校があることなども、少なからずその空気感の原因となっているかもしれない。しかし実際にまちを歩いた際に、商店街やまちなかの何気ないところに何種類もの音楽コンサートのポスターが掲示されているのを見ると、おおいた夢色音楽プロジェクト等の継続的に実施されている取り組みが最も大きな原因であると感じた。おおいた夢色音楽プロジェクトはトイレンナーレと比較すると規模等は小さいが、

継続的に実施していることで、市民が「文化・芸術に親しむ」ということを「まちの文化」にすることに、大きな貢献をしていると考えられる。文化・芸術に親しむこと自体が「まちの文化」となることによって、トイレンナーレのような市民協働の大きなアートイベントを実施する素地がまちにできあがるのではないかと考えられる。そして、そのような素地があれば、文化・芸術に関わるイベントを実施することで、市民の自発的な行動などにつながることが期待できるのではないだろうか。つまり、「文化や芸術に親しむ文化」をまちに根付かせることが最も重要であり、そのためには、統一的な指針のもと実施される継続的な事業が必要である。当然そのような「文化」をまちに根付かせるためには、一定の年数が必要であるが、それなくして、大きな文化・芸術に関わるイベントを実施しても、ただの打ち上げ花火となってしまい、後につながらない。そうなれば、文化・芸術を用いたイベントである必要性がなくなってしまう。そのため、文化・芸術をまちづくりに活かすためには、まず、まちに「文化や芸術に親しむ文化」を根付かせることが重要だ。

山口県 萩市
ハコモノではない博物館があるまち

── 萩まちじゅう博物館

　萩市では早くから土塀や武家屋敷など、古いまちなみを保存する取り組みが行われてきた。近年、都市開発等が進むなかにあっても、市民とともに歴史遺産の素晴らしさを共有し、守ろうと保存活動が行われている。

　また、保存のみならず歴史文化を活かしたまちづくりが推進され、「萩まちじゅう博物館」という市民協働の取り組みが実践されている。

　このことから、市民（NPO）が中心となるまちづくりの内容や、行政の支援の方法など、歴史文化を活かした市民主体のまちづくりの進め方について聞

case17-01
萩市のまちなみ

きたいと考えた。

　萩市は「江戸時代の地図がそのままつかえるまち」というキャッチコピーのとおりに、まちじゅうに豊かな自然や古いまちなみが多く残され、市民にとても愛されているまちである。まちが持つ歴史・文化遺産を活用して、市民の郷土愛を育み、文化的コモンズを形成している。その活用の仕方を知り、どのような市民活動が展開されているか、行政がどのような関わり方をしているかを視察する。

　また、「まちじゅうが博物館」という考え方は、エコミュージアム的な考え方であり、資源を持たない自治体の参考にもなると考える。

──江戸時代の地図がそのままつかえるまち

　萩市の特徴として、旧城下町にあたる地域全体を古地図のままに歩くことができるほど、地形や道、まちの区画などが幕末維新の頃から現在まで、大きく変えられていないということがある。

　海岸沿いを東西に通るJR山陰本線も、市街地の中心である三角州に乗り入れることなく、その南を迂回している。学校等の公共施設を建てるにあたっても、隣り合った武家屋敷の跡地を組み合わせ、1つの敷地とすることにより、道や区画を大きく変えないまちづくりが行われている。

　道幅1つ変えるにも、かつての道幅が思い起こせるよう、道や土塀に痕跡

が残されている。

　約150年前の萩を描いた図と現在の地図を重ねてみると、ぴたりと重なるのがよくわかる。萩市で歴史遺産を巡れば、たとえば維新の志士が互いの家を行き来した距離、藩校や松下村塾に通った道のり、近所の神社、川、海までの歩き方が体感できる。

──萩まちじゅう博物館構想

　まちじゅうに日本を代表する貴重な文化財が残されている萩の城下町。さらに、近世そのままの空間が市民によって住みこなされ、いたる所に文化や歴史が息づいている。そうした萩のまちを、優れた「都市遺産」であると考え、この都市遺産を大切に保存・活用し、萩にしかない宝物を次世代に確実に伝え、市民の郷土愛を育む魅力あるまちづくりに努めるとともに、萩を訪れた人々に萩の良さや歴史を、愛着と誇りを持って伝えることで、「萩は、日本の心のふるさと」と思われるようなおもてなしをまちじゅうで推進するため、2003年に萩まちじゅう博物館構想が策定され、それを元に2004年に萩まちじゅう博物館条例が制定された。行政が作成したこの構想をもとにNPOが立ち上げられ、周辺地域や各団体にも波及している。まちじゅうを生きた遺産＝リビングヘリテージとする、それが「萩まちじゅう博物館」の取り組みである。

──テリトリーは市域全体

　萩市は、2005年に旧萩市と川上村、田万川町、むつみ村、須佐町、旭村及び福栄村が対等合併し、いまの萩市となった経緯があり、旧町村部を含めた市域は人口に比して広い。

　萩まちじゅう博物館の取り組みにおいては、テリトリー（領域・範囲／フィールド）を伝統的建造物群保存地区のみとするのではなく、萩市全域とし、そのコア（中核施設・情報拠点）として萩博物館を設定している。

　テリトリーの広さだけでなく、対象も"萩に住む人々が子どもたちや訪れた人々に伝えていきたいと思う、萩のまちじゅうの歴史や文化、自然や民俗

など、そこに物語を持つもの"(=「おたから」) という大きな視野での取り組み
となっている。

——萩ものしり博士検定とは

　具体的な取り組みとしては、全国最大級の規模を誇る昭和初期の木造校
舎・明倫小学校 (旧萩藩校明倫館跡) の保存・活用、景観行政による屋外広告物
への規制、コア施設である萩博物館の整備、町並み交流施設の整備等、多角
的に事業が推進されている。

　文化遺産情報を用いた環境学習、生涯学習、人材育成の取り組みとして、
「萩ものしり博士検定」が実施されている。2005年から毎年11月に開催され
ているこの検定は、自然・歴史・文化の遺産と物語をクイズ形式で学びなが
ら、市民に萩のことをより広く・深く知ってもらうことを目的としている、
「まちかど解説員」を養成する仕組みである。

　検定には「修士課程」「博士課程」「子どもものしり博士課程」の3つのコー
スがあり、「子どもものしり博士課程」に関しては萩市の小学生全員が授
業の一環として5年生のときに受けているという。

　その他にも、文化遺産活用事業として、萩市全域で地域の「おたから」を
市民が再発見し市民が認定・データベース化する活動や、萩ふるさとコレク
ションという市内小中学校で実施されている「ふるさと学習」(総合的な学習の
時間) の概要を萩データベースに掲載し、発信する取り組みが行われている。
これは大人の活動と子どもの活動を共有するための取り組みでもある。

　また、萩を訪れた人に対する取り組みとして、ワンコイントラストの運動
が推進されている。市内の観光施設や文化財施設等にトラストボックスを設
置し、ワンコイン (100円) のトラスト (信託) を募る活動で、集まったお金は
文化財に指定されていない、あるいは民間所有のおたからを対象として、修
復などに利用されている。

——NPOの活動について

　萩市の都市遺産を再発見し、その情報の管理や活用を行うことで都市遺産

を守り育て、次世代に継承していくことを目的として市民有志により2004年6月にNPO萩まちじゅう博物館が設立された。

　萩市から萩博物館の管理運営の一部（受付・ガイド・守衛・清掃）を委託され、年間委託料として約4,000万円が支払われている（2015年度実績）。

　NPO会費1人あたり2,000円×人数分（約50万円）は後述する各班活動の運営費に当てられ、博物館に併設するショップやカフェの利益約170万円から市に支払う賃料100万円を差し引いた額も事業費に充てられる。

　萩まちじゅう博物館構想の原則を遵守し下記の4項目を基点として、組織の充実と活発な活動や会員の増強を図っている。

　□　コアである萩博物館の管理運営と文化財施設の利用と活用

　　　萩博物館は市の直営で所蔵資料自体の管理は市が行っているが、博物館の受付や案内、ショップやカフェの経営、清掃を行っている。また、会員の増強を図り合理的な連携と、各班活動の目的が達しやすい場の提供を行う。

　□　「おたから」の再発見やその情報収集と発信

　　　「おたから」をリスト化して情報発信などを積極的に行う。また、自己研修を欠かさず、経験と実績を備えた生活文化の伝承活動を行う。

　□　公共機関や諸団体が行う萩まちじゅう博物館推進事業における地域活動の協働参画

　　　関係機関、特に市との協働による充実した発展を期す。公民館や文化財施設を積極的に活用する。

　□　積極的な自主ボランティア活動によるまちづくり推進

　　　各種団体が開催するイベント等に積極的に参加し、地域の発展と会員の増強に寄与する。

──4つの活動組織と数多くの班

　事業を円滑に行うため、4つの活動組織に分け、さらに班に分かれて活動を行っている。

　□　博物館管理運営受託事業部（有償）（9班）

ガイド班、受付班、ショップ班、レストラン班、守衛班、清掃班、松陰記念館班、萩セミナーハウス班、世界遺産ビジターセンター班が所属する。各班で自主的に毎月ミーティングを開催し、研修・活動計画を検討している。

□　まちじゅう博物館推進ボランティア部 (無償) (6班)

おたから情報班、研修班、外国語班、民話語り部班、花とミドリ班、自然おたから班が所属する。長年培った経験と知識をもって、まちじゅう博物館構想の達成に自主的活動のグループを作り、推進に寄与している。

□　学芸サポート部 (無償) (7班)

生物班、天文班、歴史班、古写真班、レコード班、あい染班、民具班が所属する。博物館の学芸員が収集した書籍や書類の整理、民具の運搬や清掃、海洋生物や陸生生物の採集や標本の整理を手伝う。月2〜3回の活動日を設ける。

□　まちじゅう博物館推進事業部 (無償) (2班)

まちじゅう博物館推進活動班、イベント活動班が所属し、言わばネットワーク事業である。年間を通して各地域行事に参加するなど、周辺地域の民間団体との交流や情報収集を行い市民活動の活性化を図る。人と人との連携を大切に潤いあるまちづくりを推進する。

──今後の課題・展開の方向

今後の課題・展開の方向としては、引き続いての地域資源マネジメントと遺産の創造、またそれを次世代に継承する仕組みづくりが中心となる。そのために、官民協働 (PPP・官民パートナーシップ) による取り組みの一層の推進、観光との連携強化を図っていく。いつまでも行政の補助金で事業を行っていくのではなく、若い世代が"稼げる"仕組みづくりが必要だ。

また、NPO萩まちじゅう博物館では、複数の事業目標を達成するため多くの独立した班活動を行っている。そのネットワークを利用し広大な地域に分散している地域団体の情報収集・集約に努め、萩まちじゅう博物館の取り組

みの協働のパートナーとして、より親密な関係を築いていく。さらに、各地の文化財施設や民間施設等の公開されている情報を積極的に活用し、地域に親しまれる施設としてNPOや団体の活用を進め、共栄共存の精神で人的交流を深める。

――担い手を育てること

　萩市を訪問し、萩市まちじゅう博物館の取り組みを視察するまで、私は、「まちじゅうを博物館とする決定に対して、反対意見や利害の対立はなかったのだろうか」「どうやって市民の合意を得て、行政と市民が一緒になって事業を推進することができているのだろうか」という部分を知りたいと考えていた。しかし、視察を通して、その疑問自体が萩においては的外れな着眼点だったのだと思った。

　萩のまちを案内いただいている途中、文化財施設として公開されている建物に、市の所有ではなく個人の所有のものがあると教えてもらった。「もしも所有者が建物の取り壊しやリフォームを考えたら、どうなるのですか」と尋ねたところ、萩市職員の方からは、その質問が思ってもみない意外なものであるという反応が返ってきた。

　萩の人々にとって、歴史や文化の価値、それを守っていかなければならないという認識は当然のことであり、あらためてコンセンサスを得る必要がない、根底に流れている共通認識なのだと感じた。

　また、もう1つ、視察を通して強く感じたことは、萩では人に対する期待が大きいのではないかということだ。1人の人間が為せることへの期待、教育への期待が、その歴史的な背景もあって、大きいように感じる。

　帰り際、NPO萩まちじゅう博物館の須子義久理事長に、「私の市にも博物館があります。市民と協働して事業をしていくために、何が必要でしょうか」と尋ねたところ、「人を育てることです」という答えをいただいた。

　人を育てることがコミュニティを育てることになり、まちづくりにもつながっていく。文化や芸術を活かしたまちづくりにおいては、担い手である「人」が重要なのだと思った。

CASE 18

石川県 珠洲市

さいはての地で自分たちの文化や暮らしを表現する

——地元が秘める力

　石川県珠洲市で行われた奥能登国際芸術祭は、地域の文化を強く感じることのできるアートフェスティバルである。まさに文字通りの祭りだと言える。

　珠洲市は、能登半島の先端に位置しており、地理的に"さいはての地"といわれ、人口も約1万5,000人と本州では最も人口が少ない市である。しかし、現在でも春、夏、秋のシーズンごとに各集落で行われている五穀豊穣を願い祝う「村祭り」を代表とした地域の文化が色濃く受け継がれているまちである。そんな珠洲市で開催されている奥能登国際芸術祭は、過疎化が進行する中で、土地や生活、人々の魅力を再発見するため、アーティストだけでなく、珠洲の人たちや地域外からのサポーターを巻き込んでつくりあげる芸術祭を目指している。

　開催のきっかけは、商工会議所の中から芸術祭を希望する声があがったことである。その後、瀬戸内国際芸術祭や大地の芸術祭の総合アートディレクターを務める北川フラムに依頼するとともに、市としても市長を長とした実行委員会を組織した。実行委員会には、市の職員だけではなく、商工会からも専任の事務局スタッフが派遣されている。実行委員会では、芸術祭開催のノウハウを身に着けることや人脈をつくることを目的として、瀬戸内国際芸術祭や大地の芸術祭にスタッフを派遣するなどしていた。それにより、奥能登国際芸術祭開催時には、それらの芸術祭のスタッフにも手伝ってもらうことができた。

　地域に対しては、開催の2年前である2015年から何度も説明会を行った。また、2016年にはプレイベントとして、珠洲市の風景の写真コンテスト等、開催機運を高める取り組みを行った。最初は、なかなか住民からの同意を得られなかったが、こういった事前の取り組みにより、最終的には多くの住民が芸術祭の運営に協力してくれ、各作品の受付も約半分は地域住民が担って

いる。まちのさまざまなところに芸術祭の旗があるのだが、次の作品までの
行き方を受付をしている地域の方に尋ねたところ、気さくに対応してくれた。
良い芸術祭というものは、作品以上に地域の人との関わりが重要だと感じる。

――日常生活における文化

　芸術祭の開催にあたっては、市民から「関係ない人が来て、関係ないもの
をつくって帰っていっただけ」と思われるような、作家の独りよがりの芸術
祭にはしたくないという強い思いがあった。そのため、奥能登国際芸術祭を
開催するにあたって、次の5つの点を重視していると珠洲市奥能登芸術祭推
進室次長の才式嘉明から話を聞いた。

　□　地域にあるものを活かすこと

　　　地域に既にあるが、見えないものであるため理解しづらい文化や歴史
　　をアートによって可視化することで、わかりやすくする。

　□　生活の集積としての文化をテーマとすること

　　　芸術祭の期間中は、ほぼ毎日、各集落で地域のお祭りが行われている
　　ため、昼は芸術祭、夜は地域のお祭りを見てもらうことを想定している。
　　この祭りは出店などがあるようなものではなく、地域のくらしに根差し
　　たものである。また、地域の文化である「ヨバレ」の体験も行っている。

case18-02
作品を見て回る中で珠洲市の
大自然に触れ合うことができる

　ヨバレとは祭りの日に、日頃お世話になっている人々を家に招いて料理
をふるまう風習である。このヨバレ体験では、保健所の規定で個人宅の
料理が出せないため、料理こそ仕出し料理を使っているが、ヨバレのホ
ストを務める市民の家で、その家主のもてなしや会話といった空間その
ものを楽しんでいただきたいと考えている。

□　地域・世代・ジャンルを超えた人が連携し、協働すること

　外からきたアーティストが何かをつくるのではなく、まずアーティス
トが場所を選び、集落への顔合わせや説明会を行った後に、地域に入り
込んで作品を制作する形とした。それによって、アーティストと地域の
住民が仲良くなるとともに、作品づくりに住民が関わった。また、外か
らの視点が入ることで、地域住民が自分たちが持っている「地域のいい
もの」を再発見し、魅力を感じる機会となった。

□　芸術祭によって新しい観光を生み出すこと

　今まであまり人が訪れなかった場所にも作品を設置することで、新
しい人の流れを生み出したい。今回は特に、奥能登の岬に作品を設置し、
ぐるりと半島の岬をめぐる「岬めぐり」を意識した。

□　芸術祭によって、地域に新しい縁を残し、今後の活動につなげること

　芸術祭で生まれた人の縁や作品を残し、活かすことで、住んでいる人

が楽しめるようなまちを目指したい。それによって、市民の幸福度を高めるとともに、まちの活力につなげたい。

実際に作品を見て回ると、芸術祭の目的の1つに「生活の集積としての文化をテーマとすること」が挙げられているとおり、作品1つひとつにそれぞれ地域の文化が色濃く反映されていると感じた。このような地域の文化を活かした作品を展示することによって、芸術祭を見に来た観光客と芸術祭を開催した土地の住民のそれぞれに良い影響があるはずだ。芸術祭を見に来た観光客にとっては、作品を見て回ることだけでも、珠洲市の文化を色濃く感じることができる。また、そのような作品自体が、芸術祭の期間中の夜に各集落で行われているキリコを用いた秋祭りやヨバレと呼ばれるおもてなしの文化へのスムーズな導線となっており、その地域への理解を深めるための導線となっていた。このように芸術祭と地域の文化が深くつながっていることで、観光客にとっては、芸術祭に参加することで、その地域文化を深く体験できる。それによって、期間中に訪れた観光客が、芸術祭の終わった後でも、またその地域を訪れてみたいと思い、その地域と交流を深めることにつながるのではないかと感じた。

──反響やこれから

会期中の来場者数3万人を目標としており、前売り券で約1万7,000枚売れている。視察後にプレスリリースされた奥能登国際芸術祭2017実施報告書（概要）〈2017年12月5日〉にて確認したところ、鑑賞者数は7万1,260人となっており、目標を大幅に上回る結果となっていた。通常夏の旅行などで、8月まで満室になるような宿が、10月まで満室になっているなど、旅館や民宿への宿泊が増えている。珠洲市は大きな宿泊施設がないため、輪島町など近隣のまちの宿に宿泊している人も多い。

また、奥能登国際芸術祭という名称ではあるものの、珠洲市単独で立ち上げたものである。その他の奥能登の市町（輪島市、能登町、穴水町）との連携については、さまざまな事情から、今回は見送ったが、将来的には4市町で協力して実施したいと珠洲市は考えている。

──地域住民たちにとっての芸術祭

　地域住民にとっても、作品の制作過程でアーティストや作品に訪れた観光客と交流することで地域の文化を改めて見直す機会になるだろう。それによって、当たり前だと思っていた自分たちの文化の良いところを再認識する機会になり、シビックプライドの醸成など地域の元気につながっているように感じた。また、自分たちの文化をテーマにすることで、アートが「よくわからないもの」から「自分たちの文化や暮らしを表現するもの」になり、地域住民の幅広い理解や協力を得やすくなるのではないかと感じた。このように、アートフェスティバルは、地域に既に根付いている文化を活用することで、その地域の文化を視覚化・言語化することができる。そしてそれが、観光客と地域住民双方にとって、その地域への理解や愛着を紡ぐ結果につながる。

考察「コミュニティ創生から活気あるまちづくりへ」

活気あふれるまちづくり

　視察した事例には、それぞれに特長があった。

　大分市では、公民館など、音楽専用施設ではない場所で老若男女を招いたコンサートを開催し、音楽祭や中高年を対象としたバンド活動の支援など、音楽をテーマに広い年齢層にアプローチする活動を積極的に行っていた。

　また、おおいたトイレンナーレでは、「まちを元気に！」という想いのある職員の提案をトップ（市長）が直接判断し、後押しする形で始まり、一大アートフェスティバルの開催へとつなげていた。

　萩市では、幕末から明治にかけて活躍した長州藩の歴史的な遺産だけでなく、まちに存在する自然も含め、「まちじゅう博物館」とする取り組みにおいて、まちの財産を的確に把握し大切にする視点と、NPOを主体とした取り組みの推進手法、人材面での工夫が見られた。

　珠洲市では"さいはての地"といわれる交通アクセスに恵まれない地域で、商工会から始まった「まちを盛り上げよう！」という活動が行政を動かし、

まちの特徴である自然の美しさや祭りなどの伝統的な文化行事をアピールすることで、アートディレクターの北川の心を動かし、全国的に注目されるアートフェスティバルの開催につながっていた。

　各事例の担当者からは、「文化・芸術に対する熱い想い」を感じることができた。

　事例・取り組みはいずれも、「文化・芸術」によって人々に働きかけ、まちを盛り上げよう、コミュニティを盛り上げようという想いや情熱を持った「人」が存在し、その「人」が行動を起こすことによって何かが動き出すという点において共通していた。

　「文化・芸術」には人の感性や五感に働きかけ、人を動かす力がある。その「人を動かす力」を最大限に発揮し、コミュニティの活性化や活気あるまちづくりを行っていくために何が必要なのかと考えたとき、「人を動かしたい」という意志と情熱を持って、主体となりうる「人」であると学んだ。

　視察先の都市は、それぞれ特長が異なっていた。大分市と萩市は対照的ともいえるまちだったが、魅力は比べられるものではなく、それぞれの特長を活かした素晴らしい取り組みを行っていた。

　歴史遺産や観光資源があることは、文化・芸術のまちづくりにとって有利であることは間違いないが、その有無にかかわらず、全ての自治体にアピールできる場所や方法があるという希望を持つことができた。

　視察した各事例では、行政、NPO、商工会等が互いの強みを活かしながら取り組みを連携することで素晴らしいネットワークが形成されていた。

　文化・芸術への取り組みをまちづくりにつなげるために明確な目標を持って構想・推進されており、またその目標を達成するため、多岐にわたって特色ある事業が展開されていた。なにより、文化・芸術の取り組みによって、新たなコミュニティを形成し、また既存コミュニティの活性化をはかっている点で共通していた。

　文化・芸術の取り組みにおいて、行政が担うべき役割は何か。それは地域ごとに異なるかもしれない。その時々に必要とされている役割を見極め、果たしていかねばならない。そのためにも、スムーズな意思決定やチャレンジ

ができる行政組織をつくることは不可欠である。

　まずは、文化・芸術を地域に浸透させ、文化・芸術による市民ネットワークの形成を助ける。行政の内外を問わず、人の想いや熱意がつながることで、地域は力を持ち、活気あるまちがつくられていくと考える。

大地の芸術祭

　2017年8月19日、20日に開催された大地の芸術祭「夏のおもてなしツアー」に参加した。住民の生活文化等の話を聞きながら、主要となる作品をバスで巡ることができる贅沢なツアーである。

▼オススメ施設

キナーレで開催中！『水あそび博覧会』

10：00 ～ 17：00（最終入館 16：30）

キナーレの池で、立ちこぎボート「SUP」や、雨が降ってくる回廊など楽しい作品が多数登場。大人もこどもも、アートに触れ合いながら思いっきり楽しめます！！

越後妻有里山現代美術館 [キナーレ]

京都市を拠点に名建築ホームで知られる建築家・原広司氏が設計し、廃業の温泉宿「キナーレ」として生まれ変わりました。

営業時間｜10：00 ～ 17：00
電話番号｜025-761-7767
住所｜新潟県十日町市本町6
入館料｜大人 800 円、小中学生 400 円
公式サイト｜http://smcak.jp/

農舞台で開催中！『山あそび博覧会』

10：00 ～ 17：00（最終入館 16：30）

ボルダリングスペースや、7mの大ジャンプができるハイパージャンパーをはじめとした、山や自然にちなんだ「あそび」を体験できる展覧会を開催中！

まつだい農舞台」

「都市と農村の交流」をテーマに、地域の資源を発掘し発信する拠点となる施設。

営業時間｜10：00 ～ 17：00
電話番号｜025-595-6180
住所｜新潟県十日町松代3743-1
入館料｜大人 600 円、小中学生 300 円

越後妻有を味わう
夏のおもてなしツアー
旅のしおり

photo by Gentaro Ishizuka

2017.8.19 ～ 20

▼翌日のスケジュール

【午前のほくほく線時刻表】

■まつだい駅→十日町駅（越後湯沢駅・六日町駅方面）

8：58
10：11
10：52＊
12：05
12：48＊

＊六日町駅で上越線に乗り換え

■まつだい駅→直江津駅行き

8：58＊
9：49
11：22＊
12：25

＊犀潟駅で信越線に乗り換え

作品の開館は 10：00 からのため、まつだい駅到着からお時間に余裕があります・・・

＜まつだい駅周辺のおすすめスポット＞

①まつだい郷土資料館（9：00 ～ 17：00、最終入館 16：30）

地元の住民が案内役となり、松代弁を交えながら地域特有の自然や暮らし、民俗について詳しくご案内します。やすらぎの空間で、古き良き松代の歴史と文化を体感してください。

②まつだい城山散策

さまざまな屋外作品を、山歩きをしながら鑑賞できます。

2018 年の新作も、この頃から先行公開中！

▼伝統芸能

新保広大寺節（しんぼこうだいじぶし）

日本民謡のルーツとも言われている新保広大寺節は、保存会により唄と踊りが継承され、十日町市の無形文化財に指定されています。
本日披露される唄の中には、十日町のお酒としても有名な「天神囃子」も含まれています。
多彩なふりつけの踊りとともに、集落に伝わる伝統芸能をおたのしみください。

ツアー当日に配布されたしおり

▼マップ

▼ツアー行程

＜1日目＞

9:50		十日町駅西口出発
10:15		Kiss & Goodbye（土市駅）
10:40		みどりの部屋プロジェクト
11:25		赤倉の学堂
12:25		うぶすなの家（昼食）
13:30		集落のおもてなし
15:00		絵本と木の実の美術館
15:50		温泉（雲海）
17:00		三省ハウスチェックイン まつのやま映画館 ＆ディナービュッフェ

＜2日目＞

7:00～8:30	朝食（このお時間内にお済ませください）
8:30	送迎バス 三省ハウス発
8:45	送迎バス まつだい駅着

▼夜プログラム

まつのやま映画館 夏

2016 夏、2017 春と開催してきた「里山映画館」が、本格的に拠点を松之山に置き、「まつのやま映画館」としてこの夏再びオープンします。今回のテーマは、"食"。上映する映画は『シェフ 三ツ星フードトラック始めました』。料理はもちろん、音楽もステキで、誰もが幸せな気持ちになれる映画です。さらに六本木のミシュランレストラン「Jean-Georges Tokyo」のシェフを招き、地元のお母さん方と一緒に、松之山エリアの豊かな食材を使った料理を振る舞います。

▼見学作品

Kiss & Goodbye

赤倉の学堂

うぶすなの家

絵本と木の実の美術館

みどりの部屋

Lost Winter

▼昼食

うぶすなの家のおもてなし
うぶすなのおかあさんたちによる、夏野菜をはじめとした地元の食材をふんだんに使った郷土料理のごちそうをお腹いっぱいいただきます。
おかあさんたちのおもてなしや楽しいお話とご一緒におたのしみください！

集合場所である十日町駅の近くにある越後妻有里山現代美術館[キナーレ]。この中に、NPO法人越後妻有里山協働機構の事務所がある。

土市駅の横にある「Kiss&Goodbye」。JR飯山線を舞台とした絵本作品として、倉庫内では、絵や映像、音楽などを使ったインスタレーションが展示されている。

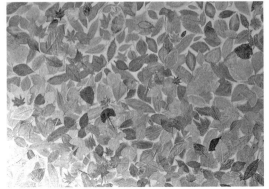

空き家を利用した「みどりの
部屋プロジェクト」。訪れた人
が葉っぱの形に紙を切り、壁
に貼り付けることができる。

廃校を活用した「赤倉の学
堂」。地域の歴史や各戸の家族
の記録を大型絵画として校庭
に展示。また、校内建物内で
は製作過程を映像作品として
上映している。

越後中門造りの茅葺き民家を「やきもの」で再生した「うぶすなの家」にて昼食。地元の食材を使った料理を陶芸家の器で提供するレストラン。集落のお母さんたちがつくる料理とおしゃべりが魅力。

蝶の翅や万華鏡をイメージして、屋根には反射する素材が使われている「バタフライパビリオン」。能や狂言の舞台としても利用されている。残念ながら当日は雨だったので、こちらでの新保広大寺節（しんぼこうだいじぶし）の公演は中止となった。

十日町市の無形文化財である「新保広大寺節」を公民館で披露してくれた。日本民謡のルーツと言われている。こちらでも地元の食材を使った料理を振る舞ってくれた。

田島征三の絵本の世界を空間化した「絵本と木の実の美術館」。自然物に色を塗り、作家やボランティアだけでなく、地元住民も参加し製作を行った。

温泉である「雲海」に寄った後にドミトリー形式で宿泊できる山省ハウスにチェックイン。こちらでは、大地の芸術祭総合ディレクターである北川フラムが選ぶ食の映画を上映。

山省ハウスで六本木のミシュランレストラン「Jean-Georges Tokyo」のシェフと地元のお母さん方が一緒に、松之山エリアの豊かな食材を使った料理を振る舞ってくれた。

視 点

それぞれの市が抱える悩み

　すでに自分たちのまちにある伝統や文化といった地域資源をどのように活かせば、まちの内外の人に広く知ってもらえるのか。また、そうした伝統や文化に多くの人に親しんでもらい、それらをまちづくりに活かすためにはどうしたらいいのか。

文化創造・発信グループ 07
自分たちのまちにある地域資源の活かし方について考える

《吹田市》

　市内外に名が知れた文化施設があるが、どんな催しをしているか、情報を求める人に伝わりきらない。また、毎年行っているイベントで年配の人と学生との世代間交流はできているが、それ以上発展しない。

《富田林市》

　富田林市寺内町は、古いまちなみが残るまちとして知名度が上がってきている。しかし、年配の人は多く訪れるが、若者の集客が弱い。

《茨木市》

　市民に広く知られていない文化・芸術資源がある。また、学生が多く、学生の間はサークル活動やボランティア活動でイベントに参加するなど、まちと関わりを持っているが、卒業してしまうと大阪市内に出たり、地元に戻ったりすることで途絶えてしまう。

《岸和田市》

　だんじり祭は有名で多くの人で賑わい、また古いまちなみが残っているなど、資源はあるが普段はあまり活性化していない。

だんじりと岸和田城 (写真提供：岸和田市)

現役世代を取り込めていないこと、若い世代を惹きつけていないこと、文化・芸術資源が活性化していないこと、行政から一方的に発信しても、興味のない人には届かないということ等があげられた。

　これらの課題の解決策として、自分たちのまちとして親しみを持ってもらえるような若者が惹かれる要素を取り入れたり、生活の中での伝統や文化として残ってきた地域資源を芸術につなげるような新しい要素を加えたりすることで、伝統や文化を発展的に継承し、くり返し来てもらい、さらには住みたいまちとして移住者を増やすといったことがあがった。この解決策は一過性のものではなく、長く継続してまちの魅力を発信する必要があるため、このグループのテーマを「文化創造・発信」と決めた。

進化を遂げた先進都市

　テーマに沿って研究を進めるにあたり、具体的な方策を探っていく必要があることから、アートと歴史・文化を核に新たなまちの魅力を創出し、地域の活性化を図っている先進事例を視察することにした。視察先は、大都市ほどの経済規模は有していないが、歴史・文化のある地方都市で、以前は賑わっていたが昨今は衰退していることが問題となっていた地域である。

　視察先を選定する際、文化活動の視点として、どういった立場の人が関わっているかという「アートプロジェクトの担い手の多様性」と、アーティストの表現物としての場なのか、地域活性化という場なのかという「アートプロジェクトの目的（ミッション）の多様性」の2つの視点があげられる。いくつかのアートプロジェクト事業を久木元拓によるマッピング（2008）に基づき図表07-01のように分類することで、バランスを考えて5つの視察先に絞ることとした。

　住民の反応や受け入れられるまでの経緯、来場者がどのように芸術祭を知り、現地に訪れているかなどについて、事業に関わっているNPO法人や行政といった各方面の人々から話を聞き、考察をまとめる。

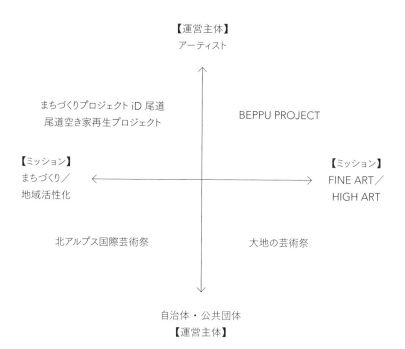

出典：久木元拓．"アートプロジェクトはアートとまちづくりの救世主となるか？"
http://www.dnp.co.jp/artscape/exhibition/focus/0812_01.html，（参照 2019-06-26）
を参考に視察先を当てはめ、筆者作成

図表 07-01　視察地におけるアートプロジェクト事業のマッピング

主体の性格	地域に関係するキュレーター、コーディネーター +住民による組織体			キュレーター、コーディネーター +住民による組織体	
プロジェクト	アートフェスティバル混浴温泉世界	空き家バンク	サードプレイス	アートフェスティバル大地の芸術祭	アートフェスティバル北アルプス国際芸術祭
実施年	2009 年から	2007 年から	2012 年から	2000 年から	2017 年
実施地	大分県別府市	広島県尾道市	広島県尾道市	新潟県十日町市、津南町	長野県大町市
実施環境	空き店舗	車が入れない場所に位置する空き家	商店街の空き家、まちなか	里山の空き家や廃校	空き家、空き店舗、商店、空き地
実施主体	NPO 法人 BEPPU PROJECT	NPO 法人 尾道 空き家再生プロジェクト	NPO 法人 まちづくりプロジェクト iD 尾道	大地の芸術祭実行委員会（十日町市、津南町、両市観光協会等）NPO 法人越後妻有里山協働機構共催	北アルプス国際芸術祭実行委員会（大町市、同市商工会議所等 61 団体）
ミッション	別府という場所とアートが出会う多様な事業として、一般市民に対する現代美術を中心とした文化・芸術の振興に関する事業を行い、いままでとは違うより豊かな市民社会の実現を図る	尾道固有のまちなみの中でも特にユニークな環境を持つ山手地区で、空洞化と高齢化が進み空き家となったものの中で、建築的価値が高いもの、不思議で個性的なもの、景観が優れているものなどさまざまな魅力を持った空き家を再生し、新たな活用を模索している	住民に対して、文化的で豊かなまちづくりをするための独自のアイデアや知識を持ち寄り交流する場を提供し、そこで生まれたプロジェクトをサポートし運営することで地域活性化に貢献している	1 年を通して、地域に内在するさまざまな価値をアートを媒介として掘り起こし、その魅力を高め、世界に発信し、地域再生の道筋を築くことを目指し、その成果発表の場となるのが、「大地の芸術祭 越後妻有アートトリエンナーレ」。2015 年は約 51 万人の来場者数を記録し、約 50 億円の経済効果や雇用・交流人口の拡大をもたらした	土地固有の生活文化を表現する「食」と、地域の魅力を再発見する「アート」の力によって、大町市に内在するさまざまな価値を掘り起こし、北アルプス山麓の地域資源を世界に発信することで地域再生のきっかけにする

筆者作成

図表 07-02 視察地におけるアートプロジェクト事業の概要

NPO法人BEPPU PROJECT

多様な創造力で地域を魅力的に発信する

──別府市の特色

　所在地である別府市は、人口が約12万人、第三次産業従事者が81.8%、温泉地として有名で源泉数・湧出量ともに全国1位で、戦災を逃れた路地の多いまちである。大分県全体における別府市での宿泊客は48%と高く、外国人居住率も全国でも上位となっている。別府市の宿泊者は男性が女性の1.5倍、70%が団体客であるが、バブル時代の社員旅行など大口客が時代の変遷により少なくなった。別府市では、「観光地型・文化芸術創造都市」実現が今後の課題とされている。

　そんなまちで、NPO法人BEPPU PROJECT（以下、「BEPPU PROJECT」）は、交流人口（観光客）の減少を打破するために、今後の重要なターゲット、もしくはインフルエンサーとして見込まれる若年層・女性・個人客に向けて、既存の地域資源に新たな魅力を創出するために現代アートを活用している。彼らは好奇心や感受性が豊かで表現が得意な人が多いアートファンであるので、言葉だけではなく、インスタグラムなどの写真を活用したSNSで発信してもらうことで情報の二次拡散も狙いとしている。

case19-01
意外と路地が多い

case19-02
別府といえば誰もが温泉をイメージするだろう

——市街地でのアートフェスティバル

　代表理事である山出淳也に話を聞いた。山出はもともとNPO法人の運営やまちづくり活動には興味はなく、90年代まで海外にいて、アーティスト活動をしていた。別府とのゆかりは、子どものころに正月やお盆に親戚で集まる場所であり、とても思い出深い場所であった。2003年ごろにインターネットで別府の記事を発見したことをきっかけに、当時の楽しい思い出が蘇った。しかし、現在の別府は当時の活気に満ちたものとは違っており、時代を経てシャッター街の様相であった。そこで、別府市役所に問い合わせをしたところ、担当者は往時の別府再生への熱い思いを持っており、その話しぶりから強い想いが伝わってきた。そして、ノウハウや資金や知り合いなどは何もない状態だったが、自分の目で現在の別府を見たいと考え、何かできることはないかという思いで帰国した。

　2005年に「BEPPU PROJECT」を設立し、活動を始める。2007年には行政との協働で創造都市国際シンポジウムを開催し、後の別府市中心市街地活性化計画核事業の1つとなる「星座型面的アートコンプレックス構想」を発表。この構想から、交流スペースとしてのplatformが生まれている。

　交流人口の多様化を目的に市民が主体となり、2009年より3年ごとにトリエンナーレとしての別府現代芸術フェスティバル「混浴温泉世界」を開催している。長期化すると社会情勢の変化などで、必ずしも当初通りのニーズに対応しきれず齟齬が生じるため、10年でイベントを完結させる予定で実施された。シビックプライドの向上を重要視し、別府の持続的なファン増加を目指し、続けるのであれば、4回目からは良い形を持続させるために見直しが必要である。また、ツアー型を採用した第3回は第2回の半数以下の参加者数であるが、参加者数よりも滞在期間や観光消費額が重

case19-03
別府駅から徒歩3分の BEPPU PROJECT 事務所

要事項であり、双方ともに伸びている。地域のまちなかでアートフェスティバルを実施するさきがけの取り組みであるといえる。2016年からは後継事業 "in BEPPU" を開催している。

——さまざまな事業を通じて人とのつながりがつくられている

　文化・芸術振興事業として、教育へのアウトリーチとして、大分県内の学校に芸術家の派遣を行っている。年間30〜40校実施しており、文化・芸術による子どもの育成を行っている。なかでも注目したのは、ベップ・アート・マンス（市民文化祭）である。これまで発表の場がなかった市民たちが、質や規模は問わず誰でも登録可能で自分を発信できる文化祭となっている。実施団体は増加傾向、2016年には80団体を超えた。BEPPU PROJECTの役割は、ノウハウがない人への補助を情報発信という形で行うこと。BEPPU PROJECTから補助金は出さず、出品者からの登録料3,500円を情報発信資金に充てている。集客が見込まれることによって、より人とのつながりができるといえる。

　移住・定住に向けた環境整備事業して、クリエイター専用アパートや短期滞在施設の運営も行っている。なかでも清島アパートは、クリエイターに特化したシェアハウスである。毎年8名の入居者を公募形式で募集している。有名な作家を集めるというよりも無名の作家にここで揉まれて成長していってもらいたいという思いがある。これまでの入居者は、さまざまな分野の作家で演劇専門の人などもいるが、現代美術の作家が多い。シャワーなどはなく、温泉を利用してもらうことでまちに出てもらっている。こもりきりで活動するのではなく、できるだけ地域の人と関わりを積極的にもてるタイプの人に借りてもらいたい。

　福祉の事業としては、大分県内の高齢者施設、障害者施設、児童養護施設、放課後等デイサービス事業所などにアーティストを派遣している。福祉の現場で、施設のニーズに合わせたプログラムを考案することで、参加者や施設職員が主役となって表現活動を楽しむことで、生きがいづくりや活力の向上、豊かな情操やコミュニケーション能力の育成を図ることを目的としている。

case19-04
清島アパート

case19-05
platform02

障害のある人もない人も1人ひとりの持つ可能性を活かす仕組みを考えるアート展なども行っている。

　新たな観光需要を掘り起こす情報発信強化事業としては、「旅手帖beppu」を発行している。「歩いて、みつけて　別府のいいとこ」をコンセプトに、20〜30代の女性をメインターゲットにしたフリーペーパーと散策マップ、Webサイトを制作している。個性豊かな温泉やおいしいもの、わくわくするような路地裏やまちの人とのおしゃべりなど、歩くほどにみつかる、別府のまちの情報をつめこんだ内容となっている。制作費約700万円で、広告を入れると目的の魅力発信という趣旨とずれてしまうため、一切入れていない。アートイベントの際に掲載店で使用できる金券をつけ、利用のあった分の広告料を後払いで回収することとしている。

　ほかにも「ARTrip大分」は、アートと旅をフィーチャーした情報誌。発信者それぞれが情報を出すと、受け手がさまざまな手法で情報収集しなければならないこととなる。1つにまとめることで、情報が集約され、観光めぐりをするときに活用しやすくなる。大分県予算で作成した。

　産品のブランディング・六次化事業として、地域産品のプロデュース・販売を通して、地域を守っていきたい意識を持つ人へのサポートをすることで風土や景観の保全活動を行っている。冊子「Oita Made」では、大分の恵みを紹介している。新たにモノをつくり出すのではなく、既存の地域商品を一括してブランディングする。デザイン性と統一感を持たせ、通常より高単価

に設定しているが売り上げは伸びている。platform02 を Oita Made の旗艦店
としている。

──資金面についても先を見据える必要がある

　さまざまな事業を行っているため、予算規模は年間約2億円と大きいが、
そのうち補助金は10％程度と少なめである。補助金に頼ると思うように活動
ができなくなるため、税金を多く投入しないようにしている。

　空き店舗活用事業「platform」のリノベーション費用は300万円を超えな
いようにした。また、浜脇にある「浜脇の長屋」も同様にアートを利用した
施設として、プロデュース費、交通費、謝金は芸術祭予算で賄い、リノベー
ション費用は、個人財産として残るため建物所有者の個人負担とした。

──芸術は誰もが楽しめるもの

　空き店舗だった高架下の8軒のお店は、わくわく感をつくるプロジェクト
とし、住民主体でやる気を向上させることにより、ベーカリー、理容店、ファッ
ションリメイクショップ、そのほかチェーン店なども入った。そうする
ことで、行政の補助金を一切使わずに、空き店舗率が80％だったところか
らスタートしたにもかかわらず、現在では空き店舗率0％で大成功となった。
観光客にわくわくすることをコンセプトに考えたところ、住民自ら「やりた
い！」との声が挙がった。空き店舗の家賃を下げることで、アートスペー
スやレンタルスペースの活用促進につながっている。また、このようなプロジェクトを通して、アーティストがチャレンジする機会を増やすことができる。別府の寛容性が、多様性につながり、人々が集まってきているようだ。

case19-06
今では人が絶えない北高架商店

—— 将来にわたるしっかりした計画

BEPPU PROJECTは、芸術をベースとする事業展開により、感覚的にまちの価値を発信することで、別府市や大分県のイメージを向上し、魅力を高めている。受信力、発信力の高い人材であるアーティストも集まることにより、新たな創造力によって産業を創出し、地

case19-07
左から3番目が代表の山出

域を活性化することを実践しているといえるのではないだろうか。「別府現代芸術フェスティバル『混浴温泉世界』」を始め、「ベップ・アート・マンス」など多くのプロジェクトを運営しており、現代芸術の紹介、教育普及活動、人材育成講座、出版事業や市街地の空き店舗のリノベーションなどさまざまな事業を実施している。地域、教育、福祉や行政機関との連携も強く、特に住民主導の事業を展開しており、持続可能な事業となっていると感じる。

芸術が地域の暮らし、経済活動において「質」を高めることにつながり、「新たな価値」を生み出していく要素となっている。まちでアーティストが活動することで、多様な価値や多様な考え方が同時に共存し、その違いを認め尊重する心を育むことでイノベーションが起こる。

CASE 20 NPO法人 尾道空き家再生プロジェクト
地域の短所を長所にした尾道らしいまちづくり

—— 尾道市の特色と課題

尾道市は、広島県南東部の瀬戸内海沿いに位置する、人口14万人の都市である。古くから港町として栄えてきた坂と路地のまちとして有名だが、時代の流れによる再開発で古い歴史の面影が失われつつある一方、車の入らない

斜面地や路地裏は、時代に取り残されたように古い家なみが残っている。

　不便さゆえに建て替え不可能な既存不適格建築の空き家が増え続け、少子高齢化と中心市街地の空洞化が進んでおり、駅から2km圏内に約500軒近くの空き家があると推測される。空き家の多くは長年の放置により廃屋化してきており、現存する空き家をいかに上手く活用し、後世に伝えていくかが最重要課題となっているのが現状である。

──尾道の魅力を伝えたい

　NPO法人 尾道空き家再生プロジェクトの代表理事である豊田雅子に話を

case20-01
左から2番目が代表の豊田

聞いた。高校生まで尾道市に住んでいた豊田は、英語好きが高じて、学生時代はバックパッカーとして主にヨーロッパを海外旅行し、卒業後は日本の旅行会社で添乗員として8年ほど働いた。ヨーロッパのまちなみに魅了され、路地が多い不便な小さいまちでも、それがそのまちの個性として文化的であ

ると考えていたが、日本のまちを見ると、どこの駅で降りても同じように見えて、スクラップアンドビルドのまちづくりに疑問を感じたという。そんな現代社会においても、坂道や迷路のような路地裏が多く、古い建物が手つかずで残っている尾道市の個性を次の世代へ伝えたいと考えた。

──NPO法人 尾道空き家再生プロジェクトのきっかけ

　豊田は、尾道市ガウディハウス（旧和泉家別邸）との愛称で呼ばれている家を2007年5月に購入し、リノベーションする様子などをブログに掲載した。そのブログが子育てや移住のキーワードでアクセスが集まり、尾道市の空き家について問い合わせが殺到、30代の若い世代から路地裏でカフェがしたいなどの需要が多いことがわかった。当時、不動産会社に斜面地物件の扱いはなく、尾道市が空き家バンクをつくっていたが、間取りや外観の写真を見ることができないような簡素なものだったため、約50名で空き家再生事業を行う任意団体をつくることを決めた。2008年には、NPO法人格を取得することとなり、スタッフ7名、バイト17名で活動している。正会員、賛助会員、ボランティア会員は合わせて180名で、年齢は20 〜 40代が多い。シェアハウスやゲストハウスのサブリースによる収益や、尾道市からの委託料により運営している。

case20-02
尾道市ガウディハウス

case20-03
事務所の天井アート

——町家をリノベーションしたゲストハウス

　昔は海外で発売されている日本のガイドブックを見ても尾道市は紹介されていなかったためか、日帰り観光客が640万人いるのに対して、宿泊はそのうちの6%しかいなかった。

　ヨーロッパなどでは2,000円で良いユースホステルに泊まることができる文化がある。近年、東京や京都にはゲストハウスが相次いで開業し始めていたし、尾道市は田舎過ぎず、旅しやすいまちであるため、ゲストハウスがあれば人が集まるはずだと考え、「あなごのねどこ」を2012年よりNPO法人として運営し始めた。開業するまでには、NPO法人のスタッフやボランティア、移住者によって約1年をかけて改修工事を行った。

　空き家が目立っていた頃には、海外からの旅行客を見ることがなかったが、今では外国人観光客が30%に増えた。しまなみ海道でサイクリングする人が増加したことや、瀬戸内への注目なども相まって、宿泊率も6%から33%に増加した。大きなバスが入れないということや、わかりやすい観光地もないため、97%が個人旅行客であるが、ゆっくり路地のまち歩きを楽しむ人が多い。

　2016年4月には、「みはらし亭」という尾道水道が望めるゲストハウスも開業した。有形登録文化財にすることで、尾道市からの600万円の補助金に

case20-04
ゲストハウス「あなごのねどこ」
廊下が細長い

加え、クラウドファンディングで370万円、無利子貸出で450万円、そして政策金融公庫からの500万円の借入を受け、空き家再生を行った。

——尾道暮らしの第一歩

　坂の暮らしはもちろん不便であるが住んでみると良さがわかる。豊田の実家は山の麓にあり、今も井戸水や汲み取り便所での生活をしてるが、狭さゆえに人との関係が濃密で、住みやすいまちである。いきなりの移住に抵抗があっても、1週間実際に住んでもらうことによって、坂暮らしの楽しさや苦労を体験し、移住をイメージしやすいように、「坂暮らし体験」を1週間1万5,000円でできるような事業を行っている。

　また、建築塾ツアーで建築士による案内も行っており、空き家に壁塗り体験をしたり、町家再生合宿で左官や床張りなどを行ったりすることで、参加者の勉強になるだけでなく、尾道市に親しみを持ってもらうことができる。有料のワークショップであるが、参加者は全国から集まっている。自分が関係した建物は何度でも見に来るし、口コミや案内もする。

　そのほかにも、尾道市のまちづくりをみんなで考える場を提供する「尾道まちづくり発表会」などさまざまな事業を行っている。また、尾道空き家再生プロジェクト副代表が実行委員長の団体で、アーティストインレジデンスとして国内外からアーティストを招集している「AIR Onomichi」との協力体制も組んでいる。

case20-05
ゆっくり時間が流れる尾道市の路地

case20-06
坂では猫が日向ぼっこをしている

──空き家探しのお手伝い

定住促進のためのメイン事業として尾道市と協働で新たに「尾道市空き家バンク」をスタートさせ、行政だけでは困難な部分を補う定住促進・移住者支援をしている。空き家バンクは地元不動産業を圧迫しないように車の入れない斜面エリア限定で行うという協定を結んでおり、尾道市に移住を希望している人や空き家を探している人に情報提供を行うだけでなく、旧市街斜面地に古い家を抱えている家主に対しても、支援をしていけるよう心がけているという。

空き家バンクの利用希望者とは、対面して説明のうえで、利用者登録をしたのち、Webに掲載している物件情報を閲覧するためのパスワードを交付しており、誰でも見ることができる環境にはしておらず、尾道市に住むことのネガティブな部分を知ったうえでも尾道に住みたいという人を受け入れている。

NPO法人は、空き家の大家と尾道で暮らしてみたいという利用者のマッチングまでを行い、賃借や売買の契約には関与していない。物件情報の管理は、大家からNPO法人へ委託されており、問い合わせ窓口はNPO法人となっている。賃借、売買だけでなく譲渡の実績もあり、基本的に料金は安い。また空き家巡りツアーを行い、いい物件があればツアー参加者が契約したケースも数件ある。

──定住後のサポート

空き家は家の状態が悪かったり、荷物が散らかっていたりと、そのまま住めない状態のものが多いが、自分で空き家をDIYで直したいという人が多く、NPO法人による改修アドバイスで建築士や大工などを派遣する制度をつくっている。ほかにも、荷物の運び出し隊、片づけ隊、リノベーション、道具の貸出（左官・ミキサー）、古材のストック売買など、少額で利用できるさまざまなサポートを用意している。建築関係の人だけでなく、素人でも参加できるイベントなども行っている。

また、移住時には、町会長や先輩の移住者を紹介し、地域コミュニティへ

の参加の橋渡しをしている。家族や単身者などさまざまなパターンがあるが、それぞれ地域住民とのコミュニケーションを求めて移住してきている人が多い。そのようなこともあってか、年齢のギャップによる就寝時間の違いの騒音問題の報告はあるが、目立ったトラブルは報告されていない。

──行政との関わり

行政による空き家再生の支援制度として、①まちなみ形成事業最大200万円の補助金（年2件ほど）②空き家再生補助金最大30万円（年10件ほど）③沿道建造物等修景整備補助最大20万円、と3種類あり、移住しやすい状況を官民によりつくっている。2009年には56件だった空き家バンク登録数が、今は約150件になり、利用登録数は約900人いる。これまでの成約件数は90件ほどで、移住者も毎月10〜15人の希望者から連絡がある。

小さい物件はすぐに決まるが大きい物件はなかなか決まらないのが課題である。大家だけではどうにもいかない物件について、文化財の管理を官民協働で維持する仕組みづくりが必要である。さらに、移住者の就職先を確保するための雇用問題も課題となっている。今後尾道市は、市全域の空き家調査を行う予定となっている。

──空き家再生が生み出した、人が人を呼ぶ仕組み

移住者は夫婦や子育て世代も多く、職業もさまざまであり、建築関係以外の分野の人も多く集まる。建築士、不動産会社、大工、アーティスト、大学教授、商売人など多様な分野の人が集まることにより、それぞれの得意分野を活かすことができ、その多様性が、地域のコミュニティを再構築することの重要な要素となった。この仕組みを活かして尾道市らしい景観や地域のコミュニティを大事にしてくれる移住者の支援が好循環となっている。

民間主導での空き家再生が生みだした、人が人を呼ぶ仕組みができあがっており、初めは点だけであったものが、点と点が線になり、そして面へと広がっている。成功のポイントとして、多くの文人や芸術家に愛されてきたまちで、若いアーティストを育てていけるよう、空き家再生を活用し、アート

の仕掛けによって尾道市を輝かせていくこと、このまちでは若者がチャレンジしやすいという環境づくりがあげられる。

CASE 21 NPO法人 まちづくりプロジェクトiD尾道
より良く生きることがまちづくりにつながる

──ドイツをはじめとする海外と日本の違い

NPO法人まちづくりプロジェクトiD尾道の代表理事である村上博郁は、尾道市の隣に立地する福山市の出身。ベルリンの壁崩壊後の1999年頃、やりたいことをやるためにドイツに行き、経験はなかったがDJを始めた。現地のレコード店など周りの人がみんな優しく、やったことのないハウスミュージックをさまざまな人に教えてもらい、初めはドイツ語も英語もできなかったが、センスがあれば生きていけることを身をもって知った。

ベルリンでは、4階建ての石造りの建物が多く、ベルリンの壁崩壊直後から10年間ほどはインフラが混乱し、空き家でも電気やガス、水道などが全て使える状態で放置されていた。凍死しないよう人の安全を第一に考え、誰も使ってない空き家は使用し占拠できるスクワッド文化があることに驚いた。

日本は学歴が重要視され、良い会社で永続勤務することが美徳とされているため、社会に合わせる必要があり窮屈であると感じるが、ドイツでは好きなことをやるのが大前提であり、さまざまなことにチャレンジしている人が多い。また学歴コンプレックスを持つこともなく、誰とでも対等に話をすることができる。ドイツの文化や習慣は日本と大きく違っていた。

──NPO団体設立の背景

帰国後、地元の福山市は、ビルばかりでさっぱりとしており居場所がないと感じたという。帰ってきたばかりでお金もないことから、家賃をかけずに自分の好きなことができる尾道市で生活することにした。商店街から離れた

ところにギャラリーをスタートさせたが、観光客などに見つけてもらえない
し、日常的ではないため閉じた。

　その後、「何が幸せかわからない」という人たちが、幸せの価値観を擦り
合わせて会話ができる場であるようなサードプレイスをつくりたいと考え、
「チャイサロンドラゴン」をスタートさせた。人々が垣根なく意見を出し合
う場が必要であり、そんな場所で、「こんなことをやりたい!」と、いろいろ
な案がでてくる。さまざまな方向から出てくるアイデアを実現させたい気持
ちと、窮屈なまちをどうにかして変えていきたいという考えがあってNPO法
人を立ち上げた。

──空き家をサードプレイスに

　築100年の古民家を改装し
た、「交流」と「発信」がテー
マのカフェ「チャイサロンド
ラゴン」は、隠れ家的であり、
知らない人同士でも打ち解け
られる雰囲気を醸し出してい
る。ネットでも「尾道名物の
店長」と紹介され、村上に会
いに多くの人が訪れる。

　カフェの横にあるゲストハ
ウス「ヤドカーリ」は、いろ
んな人が一緒になってDIYで
つくり上げたゲストハウスで
ある。ここの宿泊客はフラン
ス人が1番多い。NPO法人と
してではなく個人的に行って
おり、ヤドカーリの収入が最
も多い。これらのほかにも1

case21-01
チャイサロンドラゴンでは、さまざまな人との交流
やイベントが行われている

case21-02
ゲストハウス「ヤドカーリ」

階がお好み焼店の物件を見つけたので、その物件で店長が入れ替わり立ち替わりするなど工夫がいっぱいの異質なお好み焼店を開店する予定であり、サードプレイスの1つにしようと考えている。

このように村上が手がける場所は、たくさんの人が集まりいろんな考えが混ざるおもしろい場所である。まさに、村上が話していたとおりの「何が幸せかわからないという人たちが、幸せの価値観を擦り合わせて会話ができる場であるようなサードプレイス」である。

──「自分のため」が「尾道のため」につながる

空き家を改造してお店を始めるというのは想像通り大変で、もっと気軽に体験できるものはないかと考え、リヤカーゴプロジェクトを提案したという。リヤカーゴとは、尾道発の移動式マーケットで、リヤカーで、カフェやおみやげ、イベントを提供する。NPO法人では、リヤカーの貸し出しをしているだけで、保健所などへの必要な届出は各自してもらうようにしているが、リヤカーゴを経験した人の中には、自分でお店を出している人もあり、尾道市への移住にも寄与している。ここから始まったリヤカーゴは、福山市や長崎市などさまざまな場所で行われている。

case21-03
リヤカーゴナイトマーケット

そのほかにも、尾道市はもともと映画のまちといわれているところから、映画にまつわるイベントを考えついた。3分間のプレゼン形式で、自分が好きな映画への思いを語り、アーティストのヴィヴィアン佐藤に解説してもらい、観客の拍手によって勝ち負けを決める。なお、副代表理事は映像作家であり、映画製作も行っている。また、立花自然活用村という施設の委託管理を受け、メディアでも有名なチョコレート工場（USHIO CHOCOLATL）の経営も

行っている。

　村上が行っている事業は「どうやったら豊かな生活ができるのか。より良く生きるとは」を基本に考えているため、定期的に行っているイベントはない。見つけたものをやりたいときに実行しており、事業で苦労していることは特にないし、やろうとすることはできると信じており、行き詰まったら無理に進まず周りの環境を考えながら時間を置くとできるようになるので、失敗をすることはないという。前例がないという理由で断られるのが嫌なので、前例づくりを大事にしており、感動を経験するとみんなが協力してくれてお金も出してくれるので、扉を開いてレールを敷いた後はほかの人に任せているとのことだった。

——尾道市やほかの市町村について

　村上には、自分たちが住んでいるまちを自分たちで何とかしたいという思いがあるという。尾道市は立地も良く恵まれていて、さらに、おもしろそうな家やビルを安く借りることができる。空き家を安く借りることができるからこそ自由に興味のあることにチャレンジができ、それをおもしろいと思ってくれた人たちが尾道市を訪れ、移住してくるというサイクルができるので空き家があることはメリットであると考えている。都会は人が多くて身動きがとれず、土地もないからチャレンジできないが、田舎は家賃が安くすむためチャレンジできる要因があるため変えていけるはずだ。

　現在、村上の周りには、自分たちでつくっていくスタンスの、意識が高い人が多いので、その人たちがチャレンジできる場所づくりを心がけている。1つの場所だけで盛り上がるのではなく、小さい規模でも盛り上がっているとこ

case21-04
代表理事の村上と副代表理事の田中トシノリ

ろがいっぱいあるというのが、尾道のおもしろくて好きなところなのだそうだ。「チャレンジできるところがいいまちの条件であり、自分たちだけがいいのではなく、ほかの市町村もどんどん真似をしてやった方がいいし、最高のまちだねと思わせた者勝ちなので、みんなで競えばいい」と村上は言う。

──自分らしく生きることがまちづくりにつながる

村上の仕事は週3、4日くらいで、仕事をしながら子どもの面倒をみることができるとのことだった。自分の時間がたくさんあり、やりたいことができる。村上やその周りの人のそんなライフスタイルに惹かれてやって来る人が多いとのことだった。

case21-05
思いついたら即行動し、アイデアを共有

「どう生きるのか」や「より良く生きるとは」は、どんな人にとっても共通のテーマである。共通のテーマで地元の人と移住者との豊かなコミュニティを形成していくことがまちの文化創造・発展に寄与していくのではないかと感じた。

CASE 22 NPO法人 越後妻有里山協働機構
作品や人のあたたかさを通して里山の美しさ豊かさを感じる

──有名なアートフェスティバル

芸術祭といえば、多くの人がここ新潟の「大地の芸術祭 越後妻有アート
トリエンナーレ」（以下、「大地の芸術祭」）もしくは「瀬戸内国際芸術祭」を思い
浮かべるのではないだろうか。実はどちらも株式会社アートフロントギャラ

リーが関わっている。アートフ
ロントギャラリーとは、大地の
芸術祭を運営しているNPO法人
越後妻有里山協働機構（以下、「里
山協働機構」）設立の仕掛け人で、
東京都渋谷区に事務所を置いて
いる。大地の芸術祭総合ディレ
クターである北川フラムを中心
に1984年に立ち上げ、ギャラリ

case22-01
事務所がある越後妻有里山現代美術館キナーレ

ーを開設、時代を牽引する展覧会を多数企画してきた。ほかにも、都市開発
や文化施設などのアートコンサルタント事業や、地域づくりの実践として国
内外を問わずまざまな地域でアートプロジェクトを行ってきた。

　今回の視察について、「夏のおもてなしツアー」（詳細はcolumn03）に参加す
る中で柳生明子から話を聞き、その翌日に宿泊できる木造校舎の三省ハウス
で薮田尚久と小野塚愛からも話を聞いた。

──名前の由来は

　本芸術祭のタイトルにある「越後妻有」とは新潟県十日町市と津南町を合
わせての呼称であり、行政区分上正式に存在する地名ではない。越後とは、
東京から見て越前、越中、越後と地理的に奥へと入っていく地形であり、奥
まった、人の住まない土地であることから、「どんづまり」や「とどのつま
り」といった言葉の意味にあるように、最後の行き詰まった土地を意味する
「妻有」と呼ばれるようになったともいわれる。土地柄故に、数100年の昔に
は都を追われた者が住み着き、そういった人々を受け入れてきたという歴史
のある地域である。すなわち、元来外から来た人を受容する下地はあったの
である。人々は、切り離すことのできない人間と自然の関わり方を探りなが
ら濃密な集落を営んできた。日本有数の豪雪地域でも有名であり、人口は合
わせて6万5,000人ほど、地域面積は約760㎢。

case22-02
廃校から宿泊施設へと生まれ
変わった三省ハウス

――芸術祭が生まれたきっかけ

　大地の芸術祭は、平成の大合併を見据えた新潟県の政策の中で生まれた。
きっかけは新潟県にある122の市町村を13の広域にまとめ、その広域圏でソ
フト事業を行う「ニューにいがた里創プラン」という政策である。その政策
の担当である新潟県の職員が北川フラムにコンタクトを取り、北川が代表取
締役会長を務めるアートフロントギャラリーが事業を引き受けることとなっ
た。

　事業を始めるにあたり、北川や関係自治体の職員とで会議を行い、「越後
妻有アートネックレス整備構想」において4つのプロジェクトを行うことと
なった。①写真と言葉による「越
後妻有8万人のステキ発見事業」、
②広域を花でつなぐ「花の道事業」、
③各地域の特色を活かした拠点施
設・ステージづくり「ステージ整
備事業」、④3年に1度開催する
「大地の芸術祭」の4つである。

　実施に向けて、住民説明会を何
度も開催し説明を続けるが、住民

case22-03
事務局長の薮田

だけでなく文化団体からも反対を受け、1999年に予定されていた大地の芸術祭は1年延期となり、2000年に第1回目を開催することとなった。課題が山積みの状態でスタートを切ることとなったのである。当初は広報予算が全くといっていいほどなく、芸術祭開始後すぐは来場者が非常に少なかった。そんな折、NHKの「新日曜美術館」に取り上げられて全国ネットで放送されたことが後押しとなり、口コミの拡がりから一般客が増加、その後は日に日に増えていったと薮田は言う。

——豪雪地での生活

　大地の芸術祭は、日本有数の豪雪地であり、過疎高齢化が進行する越後妻有地域を舞台に、2000年から3年に1度の頻度で開催されている世界最大級の国際芸術祭である。越後妻有は農業を通して大地と関わってきた「里山」の暮らしが今も豊かに残っている地域であり、切り離すことのできない人間と自然の関わり方を探りながら濃密な集落を営んできた。基本理念としてあるのは「人間は自然に内包される」と掲げたアートを道標に田畑や民家、廃校などの里山を巡る新しい「旅」のかたちである。世界中のアーティストが手がけた約200点に及ぶアート作品が常設されている。人と自然とアートが織りなす芸術祭であり、アジアでは初の「生活美術」という様式、地域のバックボーンとしての文脈がある芸術祭である。アートを活用した地域づくりの先進事例として、国内外から注目を集めている。当芸術祭を計画するにあたり、ドイツのカッセルで行われている現代美術のグループ展、「ドクメンタ」などをモデルとした。

　1990年代、当時は芸術祭という概念が一般的ではない時代だった。特に地域住民にとっては、一体全体何が始まっているのかということすらわからない状態である。そのような状態での住民説明に対し

case22-04
事務局の小野塚

て、容認するという意見は少なくて当然であったし、地域に全く知らない人が大挙するであろうということに恐怖を覚えるのは必然であった。一方、近隣の温泉地である松之山温泉は、その温泉地という観光要素を含んだ土地柄、外来客を受け入れてきた。とはいえ観光で訪れた人々を歓迎こそするが、地域の生活空間はまた別のものであり、そこには基本的に招き入れないものであるという意識が一般的だったため、開催までの道のりは長かったと薮田は言う。

　里山協働機構は、2008年に発足した。自発的に発足したものではなく、当時の状況が生み出した組織といえる。代表理事は、事業活動が外的要因による影響を抑えるため、政治的影響を受けにくい人物を選定している。構成員は、地元出身者が半分、外来の者が半分という割合である。その中で正規職員は30名程度存在し、「こへび隊」の出身者も含まれる。「こへび隊」とは、大地の芸術祭で作品の管理や制作、来場者の案内、雪堀や農作業などの地元の手伝いなど、事業に関する地域のサポートを全面的に担っているボランティア集団である。世代、ジャンル、地域を越えた自主的な組織である。発足当初は美術大学内の口コミで集まった人々であったため、若い人が多かった。また、意外であったのが「ガテン」という肉体労働の仕事を中心に掲載している求人情報誌（現在は休刊）を経由して応募した人が多数存在したということである。

　ボランティアが組織されているとはいえ規模の大きい事業であるため当然手は足りなくなることもある。そこでアルバイトを都度募集しており、年間雇用者数は、延べ200人程度である。地元の雇用を増やすことも念頭に置いており、芸術祭開催年は500人以上の雇用となるということだ。そのほとんどが地域のお母さんたちである。

　客層のターゲットは特に定めていないが、来場者は20〜30代の女性が多い。これは「フィガロ」や「casa」、「pen」などの雑誌に取り上げられ、それらの雑誌の購読層に訴求されているからである。周知についてはさまざまな方法で行ってきたため、これまでの17年間でほぼ全世代が来場している。

──見えてくる課題

芸術祭を開催したことで事務局として見えてきたものがたくさんあった。まず1つに当初目的としていた定住人口の増加についは難しいということがわかった。のちに開催することとなる瀬戸内国際芸術祭は気候風土の良い土地での開催であるが、そういった土地とは条件が違い、越後妻有は冬には雪に閉ざされるような厳しい土地である。4mの雪が積もるような地域で、セカンドハウスにも向かない土地だ。ただ、現在は若者世代の都会離れという現象が見られることも相まって、ゲストハウスが10軒程度できている。空き家問題は依然存在するが、ここでは空き家を減らすというより、集落の結束点をつくるという方向で進んでいる。

次に、ハード整備について、ステージ整備事業としてキナーレ、森の学校キョロロ、農舞台、光の館といった拠点となるハードづくりを行ってきたが、維持管理には莫大な費用がかかるという問題が出てきた。芸術祭のスタートから20年が経過するので、作品群の再整理を進め、維持する作品については、民間の協力を得ながら、地域の資産として活用していく必要があると事務局は考えている。

また、芸術祭の開催翌年にはそれぞれの集落で、引き続き作品展示を行いたいか、新しい作品を設置したいかなどのアンケートを行っている。第1回芸術祭開催時は住民の反対が多かったため作品設置は公有地ばかりだったが、第2回以降は徐々に住民の理解が深まり、民地も使用し展示できるようになっていった。中心市街地はどうだったかというと、決してうまくいったとはいえない。越後妻有は里山文化が特色であり、アートを通じて里山を巡るというスタイルが合っている。市街地への展開は今後の大きな課題となっている。

──作家の視点

作品は、美術の市場価格からすると半分以下の価格で制作してもらっている。そのため、大地の芸術祭の趣旨を理解し共感してくれる作家でないと難しい。また、公募の作家については、できるだけ損をさせないように配慮は

しているが、結果としてほとんどの作品が補助額を超えて作家の持ち出しとなっている。しかし、それでも大地の芸術祭で作品制作をしたいという作家が多い。現在では公募枠の何百倍もの応募が来るようになっている。

　審査体制については、第1回目、第2回目は海外の審査員とディレクターチームで行った。第3回目からは北川1人で行っている。これは公募、招待作家のどちらにおいても同様である。選定の基準としては、美術作家の経歴より地域との関係づくりを含めた力を持っているかどうかを重視している。

　また、公募にあたり広報を行うことになるが、これが非常に効果的である。その周知によって、思わぬ人が応募してくることもある。たとえば台湾の絵本作家ジミー・リャオは、台湾では著名な作家である。ジミー・リャオが公募作家として制作した作品によって、台湾からの来場者が激増した。

──関係機関との連携

　現在、中国から県単位での視察が多数来ている状況である。中国の各地から大地の芸術祭のようなイベントを開催してほしいとアートフロントギャラリーにオファーが来ている。大地の芸術祭や瀬戸内国際芸術祭は美術マーケットをターゲットにはしておらず、あくまでも地域に密着した地域主体の表現方法であるが、これが欧米のアートイベントとは異なることで、アートの社会化に関するアジア型のモデルとなりつつある。こうした広がりを注視しつつ、地域間の連携を進めていく必要があると事務局は考えている。

　アートフロントギャラリーには多数の芸術祭依頼が来るが、人員には限りがあり無数にはできるわけではないので基本的には断っている。2017年度、新たに芸術祭を開催した石川県珠洲市（奥能登国際芸術祭）、長野県大町市（北アルプス国際芸術祭）も現在、2回展の準備中である。

　県外の団体、自治体や産学との協働について模索をしたが、思うような成果は出ていない。たとえば、第3回芸術祭開催時には全国の教育大学が出展したが、継続的な関係を築くことはできなかった。一方で、全国に広がった芸術祭ブームも収束に向かいつつあり、一過性のものではない継続的な取り組みをしようとする、芸術祭開催地のグループが今後できる雰囲気が出てき

ている。

　実行委員会、NPO、アートフロントギャラリーの3者で成り立っている。芸術祭づくりはアートフロントギャラリーに業務委託という形をとっている。アートフロントギャラリーでないと本芸術祭をつくることができないため、随意契約を繰り返すことになるが、そのため当然これが議会で問題となり、反対が多かった。事業開始20年が経過するため、事業の切り分けを行い、多くの関係者が運営を担う方向に舵を切ろうとしている。

──現状と今後について

　先に述べたように、施設管理を行う事業が複数できたため、維持管理などのランニングコストがかかることとなった。数千万円規模の予算で十日町市から施設管理の委託を受けているが、豪雪地帯ということもあり、気候の安定した土地の建物と比較するとかなりの費用が必要となるため、今後の課題である。また、現在里山協働機構で管理している施設は空き家が39件、廃校が12校である。学校は指定管理施設として2年、5年の2形態で契約する形をとっている。空き家については豪雪地という土地柄、人が住み、手入れをしていないと一冬を越すことができない。

　次に、人口変動についてだが、第1回芸術祭開催からの17年間で人口は8万人から6万人に減少した。来場者からすると10年ぶりの来訪であっても、10年前と登場人物が変わっていない、代替わりをしていないという現状がある。しかし近年、若者の都会離れの動きが出てきていることがあり、実際に移住してきた人が一定数存在する。また、ゲストハウスが新たに10軒程度できたり若い人が持ち家を購入したりするといった動きがあるので、そこに可能性があるのではないかとと事務局として考えている。

　補助金について、新潟県からの補助金は当初より10年間と決まっていた。2007年で支援が終了したが、当然単費で賄える規模ではないので、今後どのように事業費を賄っていくかを考えなければならなくなった。補助金を取り込む仕組みが必要であると考え、アートフロントギャラリーとしてNPO法人を立ち上げることとなった。

これからの芸術祭の意義について、観光スキームでの芸術祭はもう終わりに向かっている。観光を打ち出した形は確かに人を呼ぶことはできるが、結局はお金を持っているところが強いだけであり、継続性がない。

　芸術祭を使って外部から人を呼ぶスタイルの縦スキームは、大地の芸術祭、瀬戸内国際芸術祭で一定の結果が出た。芸術祭というスタイルは継続してはいくが、すでに完成しており、今後発展するものではない。

　では、これからの文化・芸術とまちづくりはどのように行えばよいのだろうか。まず、地域の物づくりを見直さなければならない。市街地を中心にマニュファクチュアを行う。この手法であれば都市部でも通用するのではないかと考えている。たとえば現在失われつつある伝統的な養蚕を現代の感覚に落とし込み、行っている人などがでてきている。そういった人々と何らかの形で文化・芸術とまちづくりの事業ができればと考えている。量産展開ができないマニュファクチュア的な店をアトリエショップに集積、50から60店舗つくる計画がある。これを現在シャッター街となっている十日町商店街に埋め込んでいく。

　世界中の建築家がショップづくりに参加することができるスタイルを検討しており、すでにオーストラリアなどの大使館から自国の店を出したいと話がきている。

　シャッター街となった商店街のシャッターに絵を描くなどのよく見る手法では意味がなく、人と人とが関わりあってコミュニティと文化を形成することが大切である。そもそも空き家、空き店舗の活用という都市計画視点での切り口では決して上手くいかない。即効性と結果を求めるものとは違った新しい視点で行わなければならない。たとえば、絵本と木の実の美術館で取り組んでいるビオトープづくりやヤギの飼育はそこから始まっており、ワークショップなどの繰り返しを経て現在のかたちができあがったのである。

——視察を終えて

　一般的に芸術祭という手法が浸透した今、そのオリジナルといえる大地の芸術祭を視察し、単に芸術祭を開催すればよいというものではないことが

わかった。海外アーティストの選定や交渉についてはアートフロントギャラリーという実力があってのものであり、予算規模についても億単位とケタ違いのものである。近年増加している各地の芸術祭は観光協会が主導する観光特化型のものが多いが、そもそもそういったものとは視点が違うということであった。

case22-05
三省ハウスで話を聞いた

　本来は地域活性化が主体であり、越後妻有の里山文化、人々の生活が密接にかかわっている。観光という視点は全くないわけではないと思うが、やはり中心にあるのは人々のつながり、自然との共存という部分であるのだ。つまり北川の手法では過疎化、高齢化などの危機に直面しているところでこそうまくいくのである。

　安易に現代アートを起用して集客を図るのではなく、問題意識から始まり、それをアートのフィルターを通して表現してこそ意味が生まれるのではないだろうか。人々はそのバックボーンを無意識に感じ取る。理由なきアートプロジェクトでは共感を得ることはできないのである。薮田の話にもあったが大阪は刹那的な側面が強く、瞬間最大風速的な集客ができればよいという非常に短期的な観光目線になってしまっている。地元に協力を仰ぐ方法としても、見栄えだけを先行させてはうまくいかないだろう。たとえば、過疎化により消えていきつつある祭りなどの行事を、アートを通して外から人を呼び、復活しようといった提案であれば住民の心にも響くのではないか。

長野県 大町市
北アルプス山麓の地域資源を再認識する

——北アルプス国際芸術祭の概要

　2017年に第1回目の開催となった北アルプス国際芸術祭は長野県大町市で行われた。大町市は人口約2万7,000人で、市域面積565km²の長野県の北西部、北アルプス山脈の麓に位置し、古くから「塩の道」千国街道の宿場町として栄えたまちである。大町温泉郷の温泉や自然にも恵まれ、今も北アルプス登山の拠点として、また黒部ダム・立山黒部アルペンルートの長野県側の玄関口として、多くの観光客で賑わっている。しかし、近年では消滅可能性都市にあがるほど、少子高齢化が深刻化しており、空き家・空き店舗が増えている。

　会期は、観光客が少ない梅雨の時期である2017年6月4日から7月30日の57日間に設定した。違う視点で見ると、大町市には、春は雪の大谷、夏はハイキング、秋は紅葉と観光客は来るが、目的地への通過点となっているため、大町市での滞在時間が短い。現在、第2回目となる「北アルプス国際芸術祭2020」の開催が決定しており、会期は5月31日から7月19日までの50日間となる。

　今回の視察については、大町市職員であり、北アルプス国際芸術祭実行委員会事務局長の勝野礼二から話を聞いた。

——「食」をテーマにした芸術祭

　北アルプス国際芸術祭は、サブテーマを「信濃大町 食とアートの廻廊」とし、土地固有の生活文化を表現する「食」と、地域の魅力を再発見する「アート」の力によって、大町市に内在するさまざまな価値を掘り起こし、北アルプス山麓の地域資源を世界に発信することで地域再生のきっかけとなることを大町市として目指した。

　地域固有の「食」こそが生活芸術であり、本芸術祭における「食プロジェ

クト」では、この「食」を介した来訪者と地元住民の交流の場をつくることが重要であることから、食を介した「おもてなし」としてさまざまな取り組みを行った。地域固有の生活芸術である「食」を飲食店などとの連携により提供することとしたのである。

case23-01
大町の郷土食であるそば

　たとえば、市内飲食店において料理を提供する際、飲食店側と来訪者との会話及び交流のきっかけとなるよう、地域の陶芸愛好者や子どもたちで制作したオリジナルの小皿を市内飲食店に配布し、期間中はその小皿で料理を提供してもらうなどのおもてなしプロジェクトを展開した。提供する際には、絵つけした小皿や料理の説明などを行い、来訪者との交流を図ることを条件とした。このプロジェクトの推進により住民が一体となり、この芸術祭に参加するとともに、来訪者をもてなす体制づくりとなった。

──芸術祭を行うことになったきっかけ

　北アルプス国際芸術祭もまた、北川フラムが代表を務めるアートフロントギャラリーが関わっている。2012年に市民団体が北川を講師に迎え「現代アートによるまちづくり」の研究を開始し、新潟県十日町市の大地の芸術祭や香川県の瀬戸内国際芸術祭へ視察を行った。その後、2014年に市民団体主体の実行委員会が「信濃大町 食とアートの廻廊2014」を開催した。大町市総合戦略では、基本目標として「大町らしさを活かして新しい人の流れをつくる」を具体化する重要施策として、市主体による国際芸術祭開催を決定した。

──それぞれの思い

　大町市長は、長野県の文化関係課を経験した元職員であり、文化・芸術に関する思いが非常に強いため、市長となった際の公約として文化・芸術を活

case23-02
自然景観を生かした作品や、空き家を活用した作品

かしたまちづくりを掲げた。住民や議会に反対意見もあったため、地元説明
会を行ったり、大町市とつきあいのある企業などへ市長が直接説明を行い、
協賛金をお願いしたりした。また、2016年4月にまちづくり交流課が新設さ
れて芸術祭にあたったが、この分野については素人職員ばかりであったため、
基本計画策定から全体のスケジュール管理の面で遅れてしまった部分もあっ
た。

　事業費については市費6,000万円、地方創生加速化交付金6,000万円、ふる
さと納税・寄付金4,000万円、チケット販売4,000万円の合計約2億円であり、
市とアートフロントギャラリーが1億5,000万円で委託契約した。現在、市
の負担金の支出が違法であるという内容の裁判が2件あるが、市は粛々と正
当であると主張する。市長はトリエンナーレを目指すと言っている。住民や
議会と今後について相談することになる。今回は、市主導になってしまった
が、今後は住民主導になってほしいと考えている。

──アートフロントギャラリーとの連携

　運営は市及び実行委員会、制作はアートフロントギャラリーという棲み分けを行っていた。HP作成などは市の委託でアートフロントギャラリーが行った。公式グッズについてもアートフロントギャラリー関係の作家がデザインを行い、グッズの販売は期間中のみに限定された。Tシャツは10日ほどで売り切れとなり、その後追加発注を行う人気ぶりであった。

　アーティストの選定やアーティストとインスタレーションの場所のマッチングは北川が行い、作家の希望を聞いて場所の候補地を提案する。「空き家に作品をつくりたい」という作家が多く、市街地エリアの空き家や蔵などで数作品制作された。国内外のアーティストが大町市に滞在し、地域資源を活かした作品を制作・展示し、一部の作品制作やサイト運営に住民が参加し交流を図った。

　制作・展示された作品は、個人所有の建物を実行委員会と所有者で賃借契約を結んで借りているものが大半を占めるため、仮設であることが多く、芸術祭終了後基本的に撤去することとなったが、実行委員会が、今後の維持管理を含め一部を残すかどうか検討している。

──アーティストの選定

　アーティスト総数は36組であり、そのうち5人が市内のアーティストである。多数の住民が慕う市内アーティストも参加しており、「この人が参加するなら芸術祭に協力しよう」という住民も出てきた。また、反対に住民からは選定の際に、市内のアーティストをもっと大事にしてほしいとの要望もあった。参加できなかったアーティストの中には芸術祭の期間に合わせて自ら活動して展覧会を行った人もいた。

──初めての芸術祭は課題がたくさん

　ボランティアについては、住民や県内の美術部のある高校・大学での募集や、松本市や東京での広報の結果、県外からは、瀬戸内や十日町などほかの芸術祭でボランティア経験のある人たちが多く集まった。その人たちの手伝

いがなければ芸術祭はできなかったといえるほど、その人たちのノウハウが
とても役立った。市外ボランティアには宿泊場所のみ提供した。しかし、市
民ボランティアについては60代後半が多く、若年層の住民の参加が少ないな
ど、確保が難航したため、市職員の支援によるところが大きかった。

──芸術祭を行った結果

今回の芸術祭の来客数は、場所ごとにカウントした延べ計算で約25万人。
パスポートの販売数は約2万5,000枚。来客数の目標は2〜3万人で考えてい
たが、テレビ放送・CM・ラジオ放送・雑誌・新聞掲載など多数の広報宣伝で
集客し、目標を達成した。

客層について、女性が多いのは良かったが、外国人は少なかった。4月に
立山アルペンルートの雪の壁を見るために台湾の人が多く訪れたことを考え
ると、外国人に対してPR不足であった。大町市は長野経済研究所に経済波
及効果分析を委託している。

──芸術祭がもたらした地域の変化

市街地エリアの飲食店は日曜日が定休のところが多かったため、芸術祭開

催中に観光客の昼食難民が多くなってしまった。「食をテーマに謳っているのになぜ」と苦情が出たため、商店街の役員会で日曜日も店を開けようという動きが出た。

結果的に、芸術祭が行われたことによって普段は人通りの少ない市街地を周遊する人が出たため、反対していた人からも「やって良かった」という意見が出ていると大町市として聞いている。

——視察を終えて　持続可能な「アートを活かしたまちづくり」

市長の決断と実行力が成功の要因だと思われる。民間団体が始めた取り組みに市が参加することで、企業との連携はスムーズだったようだが、個人事業者や一般市民に対する説明が遅れたことによる疑義や反対が多かったように見受けられた。また、計画から実施までが短期間であったために、経験やノウハウのない市職員はかなり苦労したようだが、市長の熱意を無駄にしないという心意気で乗り切ったそうだ。

後発の強みで、実績のある芸術祭の視察や、経験豊かなボランティアからのノウハウの伝授があったことから、初めてにしては運営がスムーズにできていたとの評価もあったとのことである。

作品の多くが空き地や空き家を一時的に借り受けてつくられたため、常設できるものはほとんどなかったが、次はどんな作品があるかを期待させることができれば、リピーターを呼ぶこともできる。これは、常設作品が増えることでの管理の負担をしなくても良い分、イベントとしては続けやすいが、イベント時以外に人を呼ぶ、人が回遊するまちづくりの手法としてはどうだろうか。

今回は、現代アートの芸術祭の草わけ的な越後妻有の十日町市と今年初開催の大町市という

case23-04
大町市役所で話を聞いた

2つの市を視察したことにより、どこでつくっても同じ現代アートではなく、そのまちの特色を活かした、そのまちにマッチした作品をアーティストと住民が一緒につくりあげていることがわかった。一時的なモノとして記憶にとどめられる作品もあれば、後々も触れることができる常設する作品をバランスよく組み合わせるということが、持続可能な1つの方法ではないかと考える。

考察「地域資源の活かし方について考える」

なぜアートとまちづくりがつながるのか

現代アートと聞くと、多くの人は敷居が高いもののように感じるのではないだろうか。実際、この研究会メンバーの多くもアートは自分から遠い存在であるように感じ、また、アートを鑑賞する場所は美術館だけだと思っていた。しかし、美術館で見るものだけがアートではない。近年アーティストが廃校・廃屋などを活用してアート空間をつくり出し、まちなかでの作品展示や公演などが行われている。また、アーティストが実際まちに住んで作品をつくり、そのプロセスを公開しているケースもある。では、なぜアートとまちづくりがつながるのか。この疑問については、これまでの事例の中にあった空き家対策について注目するとわかりやすい。近年全国で課題となっている空き家問題だが、視点を変えてみると実は魅力的な空き家が多く存在し、アートを表現するツールとして使われることが多い。

アートの入り口が狭いように、まちづくりの入り口も狭いのかもしれない。アートもまちづくりも同様に人と人とのつながりが大事であり、まちづくりのきっかけの1つとして、芸術祭やアートを活かした空き家再生といった手法は有効である。まちづくりを担う住民が元気な土地はまちに元気があり、元気な人が人を呼ぶ文化的コモンズの広がりができあがっている。特に団塊の世代周辺の人々は非常にエネルギーがあり、まだまだ何かをしたいと考える人が多く、そういった人々を運営側に巻き込むことができれば成功に近づくこともわかった。ボランティアは楽しくとてもやりがいがあるという

認識が広がればなお良い。

　しかし、芸術祭のような新しい事業を始めることは簡単ではない。特に長くその地域に住んでいる人々の理解を得ることが非常に難しいことである。それには「アート」という未知のものが自分たちの土地に入ってくるという恐怖感と、それに付随する得体のしれない人々が流入するのではないかという危機感がある。そこをクリアしても、アートという直接的な効果がわかりにくいものに対して、行政が公費を支出することへの抵抗がある。そのため、住民への説明を行うとしても根拠説明がとても難しい。なぜ必要なのか、どういう効果が得られるのかを丁寧かつ熱意をもって説明することが重要である。

　アートに造詣が深くない人であっても、アーティストがつくり出す物や空間を五感で体験する形の作品は単純に楽しいと感じることが多い。作品の鑑賞だけでなく、ワークショップに参加することで作品制作に関わってもらうことができれば、理解してもらう後押しになるのではないだろうか。

アートの波及効果

　芸術祭には、一定のファン層が存在する。芸術に関心があり、機会があればアートを鑑賞することを生活の一部としている人々である。そういった人々は、これまで訪れることのなかった土地で芸術祭が行われることで、その地域を知ることとなる。この層の人々は黙っていてもある程度能動的に参加することが見込まれるが、それは世間一般から見てごく一部というのが現状である。言い換えれば、それ以外の一般層にうまく訴求することができなければ芸術祭は成功しない。すなわち、プロモーションに力を入れ、一般客を誘致することに成功すれば、より一層地域を知ってもらえるきっかけとなることが考えられる。そして、その地域のファンとなってもらうことで、芸術祭を開催していないときでも訪れてもらえるようになることが目標となるだろう。

　また、アーティストは、新しい考え方や価値観を創りだす。現代アートは、既存の概念にとらわれないことが1つの魅力である。アーティストによ

る新しい目線によって地域を読み直すことで、その土地の地域資源や特色を活かした作品ができあがる。そして、これをアーティスト個人で制作するのではなく、住民たちと協働で制作することによって、住民が自身の住む地域の魅力を再発見し、地域の強みを認識するという効果も期待できる。そうして新しくできあがったものを切り口に再発信することは、地域らしさを活かし、新しい人の流れをつくる施策として、地域活力の再生に向けた取り組みの起爆剤となり得るものである。

　次に、少子高齢化や過疎化の影響で増加している空き家や空き店舗などを現代アートの手法を利用し、リノベーションすることでコミュニティ内のコミュニケーションを図ることができる。地方自治体において全国的に空き家問題が進行しているが、空き家とアートは実は密接な関係があり、空き家再生が成功すれば人を呼ぶことができる。先に述べたように既存の概念にとらわれないことが強みである現代アートの視点から創造的な活用をすると、一般的には見向きもされなかったような物件でも、驚くような魅力的再生を遂げることもある。

　こうして「空き家」×「建築」「環境」「コミュニティ」「観光」「アート」など、文化・芸術を活かし次世代のコミュニティを確立することが、空き家問題における1つの解決法となることを実感した。さらに、空き家があるというのはアーティストにとってはおもしろそうな家やビルを安く借りることができ、自由にイマジネーションを発揮し興味のあることにチャレンジすることができる大きなメリットでもある。芸術分野は、社会一般的に見てまだまだ安定した収入を得て生活することは容易ではない。活動をしたくても資金面の問題で思うように活動することができないというジレンマを抱えた若手アーティストにとっては、空き家はとても魅力的なものである。そして、それをおもしろいと共感した人たちが訪れ、さまざまな人たちがチャレンジできる場所づくりができれば移住者の増加にもつながるだろう。

　多様な価値観や考え方が共存し、その違いを認め尊重する心を育むことでイノベーションが起こる。多くの人は人との関係が親密であれば、住みやすいまちであると感じる。

取り入れ方の手法

　では、実際に芸術祭などアートを活かしたまちづくりを成功させるにはどうすればいいか。1つは「地域の持っている強み×アート」が成功の鍵ではないだろうか。芸術とほかのカテゴリーと掛け合わせるとよりおもしろいものが生まれる。たとえば、「食×アート」や「宿×アート」といった直接体験、参加型のものは心に残りやすく効果的である。また、「マニュファクチュア×アート」では継ぐものがなく消えていこうとしている伝統工芸などの古き良きものづくり文化や伝統芸能を後世に伝える役割として機能する。

　地方創生における今後の重要なターゲットの1つに、交流人口があげられるが、その増加を促すために、「インフルエンサー」の存在は無視できない。インフルエンサーとして見込まれる人は、特に感受性が豊かな若年層や女性、個人客である。そうした人々に向けて、既存の地域資源の中から新たな魅力を創出する手段としてアートの力が注目されている。また、特にお洒落なモノに敏感な20代や30代の女性には、好奇心や感受性が豊かで表現が得意な人が多く、アートファンの割合が高いといわれている。

　口コミだけではなく、インスタグラムなどの写真を活用したSNSで発信してもらうことにより、情報の二次拡散が大いに期待できる。アート作品の写真撮影をしながら地域を回遊させる仕組みは、有効な手段である。現代アートには視覚的に魅力があるが、写真による波及効果を利用し、人を呼び込むことができる。現代アートは、実は敷居が低いものである。1度作品を見たり、体験したりした人はファンになることが多い。要するにアプローチの手法を工夫し、入り口を広げて身近なものにすることができれば、もっと大きな波になる可能性を秘めているのではないだろうか。

　次に、関係人口の増加が重要である。アートとは「作品そのもの」だけではなく制作プロセスやその後の変化をも多分に含む表現方法である。そこではアーティストが1人でつくるものだけではなく、住民やアートファンと一緒につくり上げるその関係性やコミュニケーションのメディアとなることをコンセプトとするアートも少なくない。ここでいう関係人口とは、一定の期間作品づくりに参加する人たちのことである。

このように参加者としても美術館のようなホワイトキューブで鑑賞するだけではなく、自ら関わりを持つことで楽しむことができ、地域に親しみを持つこととなる。その結果として、移住の可能性を広げ、定住人口の増加につながる。住民と滞在制作するアーティスト、さらには移住者が共通して、自分自身が関わって地域を良くしていこうとする「シビックプライド」や「地域アイデンティティ」を醸成することが、豊かなコミュニティを形成、または再構築していくことになる。

ここで重要なのは、さまざまな分野の人が集まることにより、それぞれの得意分野を活かすことから発生する多様性である。それぞれの地域らしい景観や地域コミュニティを大切に考える移住者などによる支援が、コミュニティ再構築の好循環となる。もちろん、最初から全てがうまくいくということはないが、点から始まり、継続することで線となり、そして面へと広がっていく。

成功のポイントとしては、多くのアーティストに愛されるまち、すなわちそれらの人々にとって刺激的であると同時に居心地の良いまちとなることである。そのためには、若いアーティストを育てていく下地が不可欠である。空き家再生事業などを活用し、アーティスト・イン・レジデンスや発表の場とするなどの仕掛けが有効だろう。それらによりマイナス面をプラスにすることや、若者がチャレンジしやすい環境をつくることが大切である。

大阪の自治体に活かすには

大阪の市町村で文化・芸術を活かしたまちづくりを実施することは可能なのか。美術館などのハードを新設することは、ランニングコストの面を考えると費用対効果の観点から難しい。まずは、今あるものを使って実施する必要があるが、そのためには、どのような体制をとればいいのか検討したい。

大阪では、商人の文化が育っていたことから、さまざまな人とコミュニケーションを取るための表現方法が重要視され、笑いの文化へと発展していった。そういった文化背景があるため、大阪の特徴として認識されているものに、何についてもストーリー性があり、オチを求められることがある。

そのため、大阪では、いかに「おもしろいもの」であるかのインパクトも大事になる。

　近隣の奈良や京都では、大阪に比べると世界遺産や重要文化財の数が多い。ただ、大阪にも観光の社会資源も多くあり、エンターテイメントとなるような資源も多く存在している。

　今回視察した地域は、港町では人に対して寛容で開放的であるが、山村では閉鎖的であった。大阪府内であっても、地域によってアプローチの方法が違う。

　大阪においても人口減少などの問題は同じであるが、今回の視察先ほど事態が深刻ではなく、大都市圏なので人口規模も大きく、大阪人の寛容性が多様性につながり、おもしろければ人はたくさん集まるであろう。

　行政は若い世代がそのまちに憧れるような仕掛けや事業をしていくことが必要である。お洒落なまちは、特に女性に好まれる。シビックプライドの向上を重要視し、地域の持続的なファン増加を目指す。そして、結婚し子育てをする母親世代が居住地を比較検討するときのアドバンテージとなる市の魅力が必要である。

　たとえば、アートが身近にあり、日常的にアートに触れることができるまち、学校で身体的文化資本を教育に盛り込みアートに組み込むまちというプロモーションはどうであろうか。美術の科目で、1人で黙々と作業をして作品をつくるだけでなく、人とコミュニケーションをとり、議論し、相手を認め合いながら物事を構築する過程を実体験することが、必要ではないだろうか。アートは生きる技術にもなるが、今までの学校では習っていない。広い視野を持ち、多様性を受容するためには必要な経験であるが、学校で学ぶ場がなければ、よりその経験の差は家庭環境によって個人での格差が広がってしまう。本物に触れることで自分が何を選び、何をして生きて、どう考えるか、自分の人生の選択をする力をつける。

　文化的なセンスは20歳までに決まるともいわれるが、子どものうちからアートに触れることで、美的感覚・感性だけではなく、コミュニケーション能力や発想力など文化の自己決定能力の向上につながることが強みとなるの

ではないだろうか。地方は貧しくてつまらないのではない。東京へ出て行くための教育ではなく、地域のために地域を国際化する必要もある。世界視野で考えるグローバル性と、地域視点で行動するローカル性を両立させた「グローカル」化を推進することが生き残る術ではないだろうか。

　若い住民が先端的なアートに触れることで伝統を革新する柔軟な感性を伸ばし、創造性あふれる人づくりにつながる文化・芸術施策に行政が投資すれば、住民自治の活性化へとつながり、おもしろいまちであればUターンやIターン人口の増加が期待される。シティプロモーションを東京資本の広告代理店やカリスマプロデューサーのオフィスに丸投げしてはいけない。地域の課題解決と再生への王道は当事者である住民が主体となって決定し、行動することである。

研修を終えて

　2年間の研究会では主に民間主導型と行政主導型という2種類のまちづくり事例を研究した。話を聞いた各団体や市の職員からは、それぞれのまちに対する愛情と、もともとあるポテンシャルに新しいものをつけ加えることによって、新たに人を呼び込むとともに、従来からの住民や経済活動にも影響を与えるまでの熱い思いと行動力に圧倒された。

　地域活性化にアートは必ずしも必要ではないのかもしれない。しかし、アートがあればわくわくする、アートにしかできないこともある。アートは地域の生活と地域の人のためになる。人間にとって、自己を表現することは必要不可欠な要素であり、承認欲求を満たすことで生きる力が湧いてくるものである。また、文化・芸術は、都市や地域の暮らし、経済活動においての「質」を高め、「新たな価値」を生み出す重要な要素となる。アートは経済施策や保障制度といった直接的なものではなく、感覚的なものである。その価値を伝える事業によってまちのイメージを向上し、魅力を高めることができれば、受信力・発信力の高い人材が集まりやすくなる。そして、新たな創造力によって産業を創出し、地域を活性化することができるのではないだろうか。

大阪では、古くから多くの人や物の出入りがあり、未知のものに対する垣根が低く、新しいものを自然と受け入れることができる。アートをまちづくりの1つの手法として、ジャンルを超えたさまざまな人々が同じ目的を持って、やる気にさせるための熱意と継続する力があれば成功につながるのではないか。そのためには人々をつなぎ、活動の中心を担う人材として、キーマンであるコーディネーターの存在が重要である。各々の組織内を調整し、組織外ともつながっていく必要がある。対して、行政や文化拠点は地域におけるさまざまな担い手とどう関わりどう連携して行くべきかが重要となる。文化的コモンズを形成するキーマンとしてのアートコーディネーターの役目を果たす人をいかに発見し育成していくかということが、ひいては文化創造・発信につながるのではないかと考える。

シンポジウム「文化芸術基本法と自治体の役割」

～文化・芸術で自治体職員は何ができるのか～

「文化・芸術で自治体職員は何ができるのか」というストレートなサブタイトルは、研究会のメンバーの活動動機の根本にあるものであり、同様に感じている自治体職員や文化・芸術振興の関係者は多いのではないかという推測がこのシンポジウムの出発点であった。

それとともに、新しい文化芸術基本法の制定に関する関心、そして、自治体とともに新たな文化・芸術振興のカタチとつながりを生み出す大阪府立江之子島文化芸術創造センター〈enoco〉の取り組みをミックスすることで、微力であっても文化・芸術振興に関わる人々の心を動かすことができるのではないかと考えていた。

とはいえ、自治体職員の研究発表のために平日の夜に来場者を集めることは困難が予想された。よって、新しい文化芸術基本法の制定に関する関心に応えるべく、基調講演は藤野一夫、PR活動はenocoの力を借りることで、予想以上の来場者を迎えることができた。

基調講演は、日々の超現実的課題への対応に追われ、課題への基本的かつ学術的なアプローチを忘れがちな自治体職員にとって、新鮮かつ刺激的なものであった。文化・芸術振興の歴史と、大阪が果たしてきた役割についてのわかりやすく熱い解説は、自治体施策において文化・芸術への関心が高まり関連イベントが増える中、先人たちの努力を通して、文化・芸術振興の意味を再考させられるものであった。

パネルディスカッションでの大阪府寺浦薫、enoco高坂玲子の事例紹介を含めた大阪府とenocoの取り組みの紹介は、相談事業やプラットフォーム形成事業など、自治体職員が望んでいたものであり、多くの来場者に伝えられたことは今後の展開へ期待できるものとなった。

この手探りなシンポジウムが終わり、その会場の余韻の中に、「文化・芸術で自治体職員は何ができるのか」と思う多くの自治体職員の存在を確認することができた。また、文化・芸術振興の関係者の自治体職員への期待も感じることができた。

【日時】
2019年1月15日（火）18時30分～21時00分
【場所】
大阪府立江之子島文化芸術創造センター ルーム2
【参加者数】
参加者数：54名（登壇者8名を含む）

□ 開会あいさつ
　文化・芸術を活かしたまちづくり研究会 代表
　能勢 恭雅（茨木市 健康福祉部 保健医療課）
□ 基調講演「文化芸術基本法と自治体の文化芸術振興、
　自治体職員の役割」
　藤野 一夫（神戸大学大学院 国際文化学研究科 教授）
□ 文化・芸術を活かしたまちづくり研究会の発表
　勝連 賢介（門真市 まちづくり部 公共建築課 公共施設マネジメント担当）
　上月 清登（高槻市 健康福祉部 生活福祉総務課）

齋藤 圭子 （高槻市 教育管理部 地域教育青少年課）
滝元 絵梨子 （岸和田市 まちづくり推進部 都市計画課 景観担当）
能勢 恭雅 （茨木市 健康福祉部 保健医療課）
☐ パネルディスカッション
コーディネーター
藤野 一夫 （神戸大学大学院 国際文化学研究科 教授）
パネリスト
寺浦 薫
（大阪府府民文化部 文化・スポーツ室 文化課 文化創造グループ 主任研究員）

高坂 玲子
（大阪府立江之子島文化芸術創造センター 企画部門 チーフディレクター）

文化・芸術を活かしたまちづくり研究会
☐ 閉会あいさつ
高坂 玲子

「文化によるまちづくり」が唱えられるようになったのは、いつの頃からであろうか。そもそも「まちづくり」という言葉は、いつどのような経緯で多用されるようになってきたのだろうか。1972年から翌年にかけて刊行された『岩波講座 現代都市政策』(全11巻・別巻)は、伊東光晴、篠原一、松下圭一、宮本憲一を編集委員とするリベラルな内容で、半世紀近くを経た今日でも、その研究水準の高さに舌を巻く。しかし、全巻を通じて「まちづくり」という言葉は見当たらない。すでに市民参加、コミュニティ、シビル・ミニマム、民主主義などが通奏低音となっていたが、それらは「まちづくり」という概念のもとに論じられてはいない。

　他方、1981年に出版された『文化行政 行政の自己革新』では、「緑と彫刻のまちづくり」(宇部市) や「こども中心のまちづくり」(三浦市) などが自治体文化行政の先進事例として紹介されている。まず、鉱工業都市である宇部では、終戦後から公害問題等への取り組みと歩調を合わせて、ボトムアップ型のまちづくりが進められてきた。

　「『宇部を彫刻で飾る運動』、彫刻によるまちづくりは、緑と花のまちづくりの中から、文化がほしい―という人びとの人間としての欲求が『彫刻で町を飾る』という形で出現

⑧ まとめに代えて

藤野 一夫

した」のである。ここで「まちづくり」と呼ばれているものは、たしかに市民運動の中から生まれてきた。これを受けて「宇部を彫刻で飾る事業」の事務局が行政内に設置されたのは1961年のこと。市民運動のリーダー上田芳江は、「市民とは政治の庇護をうけるものではなく政治を動かすものである、という当然すぎるほど当然のたてまえに立ってこの運動をすすめています」[2]と語っている。しかし当時は、文化をもとめる市民運動が「まちづくり」と呼ばれていたわけではない。1981年の時点から当時をふりかえって、そのような市民運動を「まちづくり」と呼んだのである。

　一方、三浦市の「こども中心のまちづくり」は、当時の市長が1978年の市主催新年祝賀会の席上で「こどもたちが健やかに育まれるよい子のまちづくり」を、市民に提唱したことに始まる。その後、市長の諮問機関として「よい子のまち懇話会」を設けて提言を求め、同年の定例議会で「よい子のまちづくり」が市政の基本方針として出された。これは、「児童憲章の精神を市民のくらしと市政の指標として位置づけた『新しいまちづくり』」とされている[3]。これらの先進事例は、ボトムアップ型かトップダウン型かの違いはあるにしても、「まちづくり」という言葉が1970年代後半に市民権を得たことを物語っている。田村明は、「行政の文化化」と「まちづくり」の関係を以下のように述べている。

　「自治体の文化化などと今さら言わなくても、最も分かりやすく、また自治体の行政としてやらなければならない課題は『まちづくり』である。それ自体が創造的、個性的、人間的な仕事であるはずだからである。(中略) 自治体行政が自主的に総合的に、そして市民的かつ文化的に創造的に行いうるのは、ひとつはこの分野である。それは都市づくりの全事業を自治体がやるということを意味しない。それは金がなければできないが、事業はいろいろな主体でよいのである。ただその主体に未来の全体像をもってもらい、美しさやたのしさという人間的価値観を入れ、それに向けてやってもらうことである。多くの抵抗を排除してでもプロモートしてゆくことが必要で、そうしたプロデューサー役は自治体にしかできない」[4]。

　文化行政の責務は、都市づくりの全体像を示し、市民をはじめ、それぞれ

の主体が創造的個性を発揮して人間的な「まちづくり」を推進できるように
プロモートすることである。行政の役割に信念をもつ田村に比べ、むしろ市
民自治を重視する松下圭一に倣えば、文化行政の目的は、市民自治による市
民文化の形成・発展が、経済・社会・政治の全域にわたる再編を牽引すること
にあった。してみると、文化行政の目的及び責務としての「まちづくり」は、
市民運動としての「まちづくり」と協働してこそ実現できるはずであった。

　その後の40年をふりかえると、市民主導の、もしくは市民と行政がフラッ
トに協働して達成されるべき「まちづくり」は活力を失ってきたようだ。ま
た、「行政の文化化」によって牽引されるはずだった経済・社会・政治の総
合的再編は、当初の目的と構造とはかけ離れた形で推進されつつある。

　社会文化的構造の根本的な歪みには複合的な要因が絡んでいる。バブル崩
壊以後、行財政改革の切り札として導入されたアングロサクソン系のイデオ
ロギー、すなわちニューパブリックマネジメントの功罪を、まずは多角的に
検証する必要があるだろう。官から民への流れの中で、大衆迎合的な施策が
誘発され、拡大していったからである。それだけではない。わたしは以前、
「生活世界の植民地化」の構造を、ドイツの社会哲学者ハーバーマスの理論
にそくして解明したことがあるが、その要点を述べておきたい。

　現代社会の中で、市民自治の衰退とともに文化的貧困が拡大してきた原因
はどこにあるのだろうか。商業主義的な消費文化の浸透、すなわち文化産業
の支配による感覚的欲求の受動的・刹那的充足だけが理由ではない。専門家
文化のカプセル化やタコツボ化にも責任がある。「生活世界」Lebensweltは、
そこで生きる人々が共有する日常的な「全体知」から成り立っているが、専
門家文化の高度化と複雑化にともなって、生活世界の全体知（暗黙知）が分断
され、その総合的な力が奪われてきた。

　それは2重の形で生じる。まずは、学問・道徳・芸術の各領域が分化され、
それらが専門家の立場から編成された各領域の自律化（独立化）をもたらす。
さらに、わたしたちの日常の行為の中で自然発生的に形成され、継承されて
きた伝統の流れと、この各専門領域とが分裂するのである。

　一方で、専門家文化は、日常の生活世界におけるコミュニケーションには

役に立たないエリートの占有物となる。他方で、伝承的文化は、おおむね時代遅れとみなされ、特に若い世代にとっては文化資源としての魅力を失っている。この分裂は、本書の調査研究でも直面した課題である。

　一般的に、現代アートに関心を示す世代や階層は、文化財に関心を示す世代や階層と重なるところが少ない。また全体的に文化行政の現場では、以下の4点が課題として挙げられている。①現役世代を取り込めていないこと、②若い世代を惹きつけていないこと、③文化・芸術資源が活性化していないこと、④行政から一方的に発信しても興味のない人には届かないこと。さらに、文化財の保存と活用をめぐっても、専門家文化の担い手（研究者等）と、地域社会の住民（生活世界の行為者）との分裂がみられる。

　こうした社会・文化的疎外状況のうちで、生活世界の植民地化が進められる。その際に、市場経済は貨幣を、行政・国家は権力をメディアとして支配を強め、両者の巨大なシステムの威力によって、人間的・社会的・文化的な生活世界を抑圧するのである。

　そのような疎外された世界では、個人の欲求と行為は、生活世界に根を張った連帯的信頼関係によって紡がれる公共圏において実現されるのではない。もっぱら市場の消費者、もしくは行政サービスの受動的なクライアントとして、個別的かつテクニカルに処理（充足）される。

　その際に、アトム化した個人を市場経済と行政・国家からなるシステムへと統合する調整役は、専門領域ごとのテクノクラートに一任される。その調整は機能主義的・官僚主義的に実行されるために、そこには生活世界の側からシステム統合を監視・調整する「市民参加」の空間は与えられない。

　こうして生活世界そのものが巨大なシステムに隷属することによって、文化的貧困が拡大する。ついには現代社会における「福祉社会の危機とユートピア的エネルギーの枯渇」をもたらしたのである[5]。

　このような社会・文化的疎外と分断の数々は、ニューパブリックマネジメントの導入によって加速され、行政のサービス産業化と市民のクライアント化はとどまるところを知らない。市民自治の空洞化によって、自律した市民を育むメディアとしての市民文化の形成もまた妨げられてきた。サービス産

業化した社会の快適さに馴らされた市民は、行政の些細な瑕疵にもクレームをつけ、その声はときにヘイトにまで炎上する。その対応に追われて疲弊する行政職員の姿はいたましい。

「安全で安心な社会」という美名にも落とし穴がある。コンプライアンスとセキュリティ強化にがんじがらめにされ、忖度によって萎縮する社会。そのなかで、公務員だけでなく多くの市民が息苦しさに呻吟している。「福祉社会の危機とユートピア的エネルギーの枯渇」は、人間から想像力と創造力を奪う。既存の社会や政治への正当な批判と表裏一体の関係にあるユートピア的エネルギーは、おもに言論と芸術の中で育まれ、長期的なイノベーション（社会変革）のための源泉となってきたが、表現の自由を抑圧しようと目論む勢力が憲法民主主義の政治システムをも窒息させようとしている。

このような悲観的な時代診断にもかかわらず、わたしたちは生活世界に根を張った連帯的信頼関係によって紡がれる公共圏に、なおも希望をつないでいる。迫りくるシステムの圧力に屈することなく「文化的コモンズ」の形成に力を注ぐ市民社会のアクターたちに全国各地で出会った。

アソシエーション型のコミュニティのネットワークによって新しい社会をデザインし、かつての文化行政の理念を引き継ぎながら、より魅力的な形でアップデートできるのではないか。各研究グループの考察を通じて、このような共通認識と希望と勇気を得ることができた。そこには、文化的コモンズを紡ぎ出すアンテナとしての「コモン・センス」すなわち適切な美的・感性的判断に導く共通の良識が輝いていた。

以下は、平田オリザの基調講演「文化によるまちづくりの可能性」とも一部重なるが、文化創造・発信グループの考察から、そのエッセンスを取り出したい。文化的なセンスは20歳までに決まるともいわれる。子どものうちからアートに触れることで、美的感覚・感性だけではなく、コミュニケーション能力や発想力など「文化の自己決定能力」の向上につながることが強みとなるのではないだろうか。

地方は貧しくてつまらないのではない。東京へ出て行くための教育ではな

く、地域のために地域を国際化する必要がある。世界視野で考えるグローバル性と、地域視点で行動するローカル性を両立させた「グローカル」化を推進することが生き残る術ではないだろうか。若い住民が先端的なアートに触れることで伝統を革新する柔軟な感性を伸ばし、創造性あふれる人づくりにつながる。文化・芸術施策に行政が投資すれば、住民自治の活性化につながり、面白いまちであればUターンやIターン人口の増加が期待される。

　シティプロモーションを東京資本の広告代理店やカリスマプロデューサーのオフィスに丸投げしてはいけない。地域の課題解決と再生への王道は当事者である住民が主体となって決定し、行動することである。

　大阪では、古くから多くの人や物の出入りがあり、未知のものに対する垣根が低く、新しいものを自然と受け入れる寛容性がある。アートをまちづくりの手法として、ジャンルを超えたさまざまな人々が同じ目的をもって、やる気にさせるための熱意と継続する力があれば成功につながるのではないか。

　そのためには上記のような人々をつなぎ、活動の中心を担う人材として、キーパーソンであるコーディネーターの存在が重要である。各々の組織内を調整し、組織外ともつながっていく必要がある。これに対応して行政や文化拠点は、地域におけるさまざまな担い手とどう関わり、どう連携して行くべきかが重要となる。「文化的コモンズ」を形成するキーパーソンとしてのアートコーディネーターの役目を果たす人をいかに発見し、育成していくかということが、ひいては文化創造・発信につながるだろう。

　以上から明らかなように、自治体文化政策の主要な課題は「文化的コモンズ」の形成にある。それは、市民文化の形成を通して市民自治の確立をめざした「行政の文化化」の理念を現代化したものといってよい。ところが、最近になって、わたしが関与している自治体文化政策の策定場面において、いささか気になる傾向が出てきたのである。改正された文化芸術基本法の中で新設された条文の一つに「地方文化芸術推進基本計画」がある。地方自治体は、国の「文化芸術推進基本計画を参酌して、その地方の実情に即した文化芸術の推進に関する計画を定めるように努めるものとする」とある。義務で

はなく努力目標を示したものである。「参酌」とは一寸聞き慣れない言葉だが、他のものを参考にして長所を取り入れることであって、国の金太郎飴のようなコピーを地方自治体に強要しているわけではない。

　ところが、2018年3月に国の「文化芸術推進基本計画」が閣議決定されて以来、地方自治体においても、それを「忖度」する動きが顕著となってきている。特に懸念されるのは、国の基本計画に示された文化・芸術の「本質的価値」と「社会的・経済的価値」という区分・図式に無理やり当てはめて、自治体の文化芸術推進計画や推進ビジョンを設計しようとする動向だ。

　さまざまな疑問や違和感を覚える。まずは文化芸術推進基本計画（第一期）の副題に注目したい。「文化芸術の『多様な価値』を活かして、未来をつくる」とある。基本法では数か所しか登場しない「価値」という概念が、基本計画には頻出するからである。

　さて、文化芸術基本法の前文には以下のように記されている。「文化芸術は、人々の創造性をはぐくみ、その表現力を高めるとともに、人々の心のつながりや相互に理解し尊重しあう土壌を提供し、多様性を受け入れることができる心豊かな社会を形成するものであり、世界の平和に寄与するものである。更に、文化芸術は、それ自体が<u>固有の意義と価値</u>を有するとともに、それぞれの国やそれぞれの時代における国民共通のよりどころとして重要な意味を持ち、国際化が進展する中にあって、自己認識の基点となり、文化的な伝統を尊重する心を育てるものである」。（下線は筆者による）

　このような「文化芸術」の定義をふまえて、国の基本計画では、「文化芸術」の「本質的価値」として以下の2点を挙げている。

・文化芸術は、豊かな人間性を涵養し、創造力と感性を育む等、人間が人間らしく生きるための糧となるものであること。
・文化芸術は、国際化が進展する中にあって、個人の自己認識の基点となり、文化的な伝統を尊重する心を育てるものであること。

　これに対し、「文化芸術」の「社会的・経済的価値」については、以下の4点を挙げている。

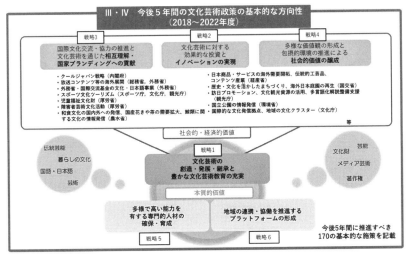

図表 08-01　今後 5 年間の文化芸術政策の基本的な方向性（2018～2022年度）

・文化芸術は、他者と共感し合う心を通じて意思疎通を密なものとし、人間相互の理解を促進する等、個々人が共に生きる地域社会の基盤を形成するものであること。

・文化芸術は、新たな需要や高い付加価値を生み出し、質の高い経済活動を実現するものであること。

・文化芸術は、科学技術の発展と情報化の進展が目覚ましい現代社会において、人間尊重の価値観に基づく人類の真の発展に貢献するものであること。

・文化芸術は、文化の多様性を維持し、世界平和の礎となるものであること。

（下線は筆者による）

　以上から明らかなように、「文化芸術」の「経済的価値」とは、具体的には下線を引いた「付加価値」のみである。ところが、基本計画における「今後5年間の文化芸術政策の基本的な方向性等」で掲げられた5つの戦略（図表08-01）をみると、3つの価値のうち経済的価値に関する戦略と施策が突出して多いことに驚くのである。

戦略2の「文化芸術に対する効果的な投資とイノベーションの実現」、戦略3の「国際文化交流・協力の推進と文化芸術を通じた相互理解・国家ブランディングへの貢献」の内容を仔細に検討すると、明らかに経済的価値を生み出す戦略と施策に重心がある。だが、そのことが目立たないように、社会的価値と呼ばれる要素で巧みにカムフラージュしているのだ。

　ではなぜ、国はこのような文化・芸術に関する3つの価値概念を持ち出したのだろうか。以下はわたしの推測と仮説であるが、今後その経過に留意して実証を試みたいと思う。

　文化産業によって「稼ぐ」文化が、「文化経済戦略」によって強力に打ち出された背景にはアベノミクスがある。文化庁は基本計画の策定にあたり、この「文化経済戦略」と歩調を合わせる必要があったと推測される。

　「稼ぐ文化」への展開を促進する「文化経済戦略」は、「経済財政運営と改革の基本方針2017」及び「未来投資戦略2017」において、その策定が閣議決定された。そこで、内閣官房において「文化経済戦略特別チーム」が組織され、「文化と産業・観光等他分野が一体となって新たな価値を創造し、創造された価値が、文化芸術の保存・継承や新たな創造等に対して効果的に再投資されることにより、自立的・持続的に発展していくメカニズムを形成することを目的として」「文化経済戦略」が策定されたのである。

　図表08-02の文化経済戦略の「バリューチェーン」をご覧いただきたい。「文化芸術」が中心に置かれているが、これは「自律」した文化政策ではない。経済政策のための文化・芸術の「道具化」である。もちろん文化経済の観点から、このバリューチェーンによって文化の経済的「自立」がめざされているという解釈も可能であろう。しかし、「公共文化政策」と「文化産業政策」とを同じ土俵で扱うことには大いに疑問がある。

　これまで国の公共文化政策を担ってきた文化庁としても、文化経済戦略の「稼ぐ文化」という思惑が露呈しないようにカムフラージュする必要にせまられたと思われる。そこで、「社会的包摂」や「共生社会」を新しい文化政策の柱とした、文化芸術基本法の理念を援用し、その社会的価値によって経済的価値の突出を中和化した（目立たないようにやわらげた）のであろう。それが

文化経済戦略の全体像

文化経済戦略策定の背景となる基本認識

国際社会における文化	我が国の文化	経済における文化
国のプレゼンスを高める要素として文化の意義や重要性が向上	世界に誇るべき多様で豊かな文化芸術資源が存在	産業競争力を決定づける"新たな価値の創出"を文化が牽引

文化政策が歴史的転換期を迎えるなか「新・文化庁」として前例なき改革を断行

↓

国・地方自治体・企業・個人が文化への戦略的投資を拡大
文化を起点に産業等他分野と連携した創造的活動によって新たな価値を創出
その新たな価値が文化に再投資され持続的な発展に繋がる好循環を構築

文化経済戦略が目指す将来像

○ **花開く文化**
　未来に向けた「文化芸術の着実な継承」とともに、「次代を担う文化創造の担い手」育成、「次世代の文化財」の新たな創造

○ **創造する産業**
　文化芸術資源を拠り所とした新産業・イノベーションの創出
　文化芸術を企業価値につなげる企業経営の推進

○ **ときめく社会**
　「文化を知り、文化を愛し、文化を支える創造的な国民層」の形成
　「国民文化力」の醸成を通じた「文化芸術立国」への飛躍

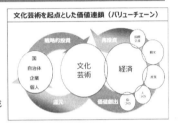

文化芸術を起点とした価値連鎖（バリューチェーン）

出典：内閣官房文化庁「文化経済戦略」平成29年12月27日

図表 08-02　文化経済戦略の全体像

「社会的・経済的価値」という奇妙な並置の理由ではないのか。

　もとより、文化・芸術の社会的価値と経済的価値は、そもそも相反する価値観をはらんでいるが、両者はいずれも文化・芸術を、それとは別の目的に利用する「道具主義」という点では共通してもいる。他方、現実の文化政策においては、芸術の自律性（自己目的性、自己完結性）と他律性（〜のための芸術）とは矛盾する場面が少なくない。

　いずれにしても、経済至上主義の流れの中で、文化・芸術の道具主義的価値のみが強調されることとなった。それゆえに改めて文化・芸術の「本質的価値」なるマジックワードを持ち出す必要があったのだろう。深入りは避けるが、ここでも日本の文化政策が、その歴史的文化的文脈の相違を熟慮することなく、安易に英国を手本として策定されている点に留意したい[6]。

以上、国の文化芸術推進基本計画への疑問と違和感から、その理由に関する仮説を立てた。自治体が基本計画やビジョンを策定するに際し、国の理不尽な定義や図式を忖度する必要は毫もない。それぞれの地域の実情に即した文化・芸術の推進のために、自治体はしっかりと主体性をもって、独自の文化政策を構築すべきなのである。

注

1　山崎盛司「緑と彫刻のまちづくり」、松下圭一・森啓編著『文化行政 行政の自己革新』、学陽書房、1981 年、203 頁。

2　前掲、208 頁。

3　鈴木秀夫「こども中心のまちづくり」、前掲、209 頁以下。

4　田村 明、「行政の文化化」、前掲、43 頁以下。

5　藤野一夫「新しい市民社会への仕掛けづくり」、後藤和子・福原義春編『市民活動論』、有斐閣、2005 年、197 頁以下参照のこと。

6　文化庁「文化芸術推進基本計画」(2018 年 3 月) の参考資料 4 には、以下のような記載がある。「2016 年に英国政府が、文化政策の今後の方向性を示すものとして約 50 年振りに策定した文書 (The Culture White Paper) においては、文化の価値を三つの側面 (本質的価値、社会的価値及び経済的価値) から整理している」。

本書を最後までお読みいただきありがとうございます。

これまで、まちづくりの活動をされている方たちと話をしてきましたが、行政に望むことは特にないという意見ばかりでした。行政が行うまちづくりってなんだろうと考えさせられます。住んでいる人たちにより長い間培われつくり出されたものが、それぞれの地域にあります。人がなんとなく行ってきた行動の積み重ねによりつくり出されたものこそが文化で、どの地域もまちなみに合わせて人の行動が成熟され、文化が存在しています。目立った観光資源だけが、文化というのではなく、そこに住んでいる人にしか見えていないものも大切な文化です。

僕は、写真を通じて芸術というものはいったい何なのだろうかと考えるようになりました。小学生の頃から、使い捨てカメラでマンションの3階のベランダから見える風景を定期的に何枚も撮影していたことを覚えています。家や田んぼ、通学していた小学校が見え、六甲山や甲山が奥に広がっていました。子どもながらに、安らぎを与えてくれる風景だと感じていたのと同時に、日常的に見ている世界はいつか見られなくなると思っていて、写真で記録していたのだと思います。

10歳のときに阪神・淡路大震災で被災して、通学してい

た小学校の体育館に避難し、玄関口の靴箱の前でしばらく生活していました。幸い家族に大きな怪我はありませんでしたが、周りの家は倒壊や火事に見舞われ、住んでいたマンションは足の踏み場もないような状態で、安全面もどうなのかわからずしばらく帰ることができませんでした。自宅に帰ってきたときには、ベランダから見えるまちの風景が一変していて、これまで日常的に見ていた風景は、なくなっていました。その経験から、「記録すること」への執着が生まれました。中高生のときに、まだ薄暗い早朝の中、まちなみの写真を自転車で撮って回るようなことをしていました。大学では写真サークルを立ち上げ、今の茨木市職員として働いてからは、30歳になる年に芸大の写真コースに入学し、表現するということを学びました。

　僕が考える芸術は、精神的な部分で人と通じ合うものだと思っていて、何かを作っても人に見せないままにするのであれば、作品でも芸術でもないと考えています。考えていることを伝えないのであれば、考えていないのと同じです。作品を人に見せて、他者の感情を動かし、その反応を作家が受け止め、自分の価値観を見つめ直す。そういった精神の相互作用こそが、芸術だと考えています。

　作品を世に出すということは、作家の価値観を物質的なものに変換することです。作家から生み出されたその表現物を他者が見るということは、目に見えるビジュアルではなく、その奥にある作家の表現したい価値観を見ていることになります。それを見た人たちは、作家の価値観と自分の価値観をすり合わせることで、作家がどういった視点でものごとを見て、自分のものの見方とはどう違うのだろうということを考えることで人の立場に立ってものごとを考えます。その考えを言葉にすれば、作品を見た人同士や作家も含めて対話が生まれることになります。

　そういったさまざまな価値観が渦巻く中での意見は、否定されることはないし、否定されるべきではないものです。実際にその人は、そのように感じたということが全てです。だから、どんな思想とか、年齢とか、性別とか、仕事の役職とか一切関係ありません。そういった、多様な考え方がある中で対話するからこそ意味があります。多様な考え方をいくらでも受け止めるこ

とができるのが芸術です。

　鑑賞するだけでなく、作家の制作プロセスの中にも芸術が存在します。演劇だって、演じる人は自分ではない別人格を演じるわけですから、他者の価値観について理解し、他者がどういったことを考え、どういった行動をするのか考えます。音楽にしても、演奏者は横の演奏者の音の個性に合わせ、自分の個性を共生させるように音を奏でます。

　そういった価値観のすり合わせを繰り返しているとそこには、人同士の関係性が生まれてきます。僕は、コミュニケーションするために作品をつくっているのではないかと思うようになり、いつしか人に見てもらって初めて作品と呼べると考えるようになったわけです。芸術というものの性質に人と人をつなぐコミュニケーションツールとしての機能があることを考えながら、研究会としても活動しています。さまざまな事例を見るなかで、芸術がまちづくりにうまくマッチングしたときには、まちが大きく変わっていくということを感じています。それは、目に見えるまちなみではなく、人と人との関わり方だと感じています。

　どの地域もまちなみに合わせて人の行動が成熟され、文化が存在しているのです。僕も行政が計画的につくった風景を好んだのではなく、たまたまできあがったベランダから見えるあるがままの風景を好みました。行政が目に見える部分の豊かさを地域住民のために計画することは、もちろん必要なことではありますが、難しいのではないかと思っています。芸術が、ゆるやかなコミュニティであるサードプレイスをつくり出す可能性を持っており、福祉、医療、防災、教育、観光等といった多くの分野とも密接に関係しているために、まちづくりに親和性があると考えています。人のつながりは、災害があっても壊れるものではありません。人のつながりをつくり出すことこそが、これからの行政に必要なことだと考えています。これからも、僕を含め大阪府下の職員で活動を続けていきたいと考えていますので、自治体職員としても研究会としても、ご支援いただければ幸いです。

　最後になりますが、僕らの研究会の活動にご理解をいただき書籍にすることの機会を与えてくださった水曜社の仙道社長に深く感謝します。また、多

くの視察先の方々もお忙しい中で快く僕たちを受け入れてくださってありがとうございます。研修のときから、ご指導いただいております神戸大学大学院の藤野先生には、さまざまな経験の機会を与えていただきました。とても多くの人に支えられながら今の自分や研究会があることに感謝いたします。

文化・芸術を活かしたまちづくり研究会

代表　能勢 恭雅（茨木市職員）

　多くの自治体で文化施設の老朽化がすすむ中で、厳しい財政状況にもかかわらず多額の費用（税金）を投入し、施設の大規模改修や建て替えの検討がなされています。多額の費用（税金）が使われる文化・芸術施策には、どのような手法や効果的な取り組みがあるのか研究し、今後の本市のまちづくりに貢献できればと考え参加させてもらいました。

　特に印象的な取り組みについては、兵庫県可児市の公共文化施設を社会課題解決のための施設として位置づけ、最後の拠り所となる「人間の家」としての運営を行っていることでした。一見文化とは無関係であるような社会課題解決に文化施設を使うということで文化・芸術を活かしたまちづくりを行っていました。また、兵庫県立芸術文化センターは、阪神・淡路大震災後の復興のシンボルとして建設され、センター開館直後、阪急西宮北口駅乗降客が、月3万人以上増となるなど、地域振興の一躍を担い、地元商店街が賑わうこととなりました。新たにスポーツ施設や良質な住宅群が建ち、劇場関連ショップや「阪急西宮ガーデンズ」が新規にオープン、甲南大学西宮キャンパスが開設し、関西住みたい街ランキング（不動産情報会社等各種調査）でトップとなるなど文化・芸術を活かしたまちづくりの成功例でした。

　文化・芸術を活かしたまちづくりの形にはさまざまな手法があり、それぞれの地域や市民性に応じた特徴ある施設運営を行っていました。多くの施設

で共通していたことは、①データに基づく課題分析を行っていること、②明確な理念、目的意識を持ち運営していること、③館長等の職員が熱意を持って運営していること、④運営実績等についての広報（説明責任）を意識して行っていることでした。

　本研究は私自身にとって非常に良い刺激となり、今後のさまざまな市政運営を行うにあたって必要となる見識やヒントを得ることができました。拙い文書ではありますが、その一端を掲載した本書が少しでも多くの方に役立てていただければ幸いです。

　最後に、講義やコーディネートをしていただいた藤野先生を始め、視察先の関係職員、長期にわたり研修に参加させていただいた職場のみなさまに感謝とお礼を申し上げます。

文化・芸術を活かしたまちづくり研究会
上月 清登（高槻市職員）

　まちづくりや建物の計画の業務に関わる中で、アートやデザインの可能性を感じることが多くありました。しかし、定量的なデータと説明を厳しく求められる昨今の行政施策において、アートやデザインの効果について説明することは難しく、それらを業務にうまく活用することができないもどかしさがありました。

　マッセOSAKAの「文化・芸術を活かしたまちづくり研究会」に参加し、藤野先生をはじめさまざまなアートやデザインに関わる方に出会いお話を聞く中で、行政の1分野である文化・芸術振興の範囲を超えたアートやデザインの効果を知ることができました。教育や福祉などの課題解決策としてのアートやデザインの効果は、その「まち」や「ひと」を動かす力をベースとしたものであり、経済的な効率ばかりが重要視されるまちづくり施策において、

「まち」の活力は「ひと」の活力であることに気づかされるものでした。

　研究会の活動を継続し、シンポジウム開催やこの出版原稿の執筆を行う中で、行政の内外にまちづくり施策におけるアートやデザインの効果に興味がある方が多くいることを知ることができました。多くの人の一般的な認識である「飾るだけがアート、デザインはカタチだけ」が「人をつなげるアート、カタチだけではなく仕組みまでデザイン」に変化したとき、日本のまちづくりは良くなっていくのではないでしょうか。

文化・芸術を活かしたまちづくり研究会

勝連 賢介（門真市職員）

　文化とは何か、芸術とは何か、まちづくりとは何か。これらの言葉は良く使いますが、言葉の意味はそれぞれ奥が深いと感じています。「文化・芸術を活かしたまちづくり」はただ単に成功例の模倣をするだけではうまくいくことはなく、アートの力を使ってそのまちらしさを活かすことが重要であるということは、この研究を進める中で実感しました。当然ながら、まちの個性というのはまちづくりをするうえで大切で、まちづくりが成功しているところでは、まちのことをどこよりも良くわかっています。そのまちらしさを考えるうえで長所を探すのもいいですが、まちの短所は見方によって長所に代わり得るのだと思います。まちをじっくり見つめなおし、課題を見つけ、アートの力で短所を長所に変え、そのまちらしさをアートで活かすことができれば、文化・芸術を活かしたまちづくりとして成功するのではないでしょうか。

文化・芸術を活かしたまちづくり研究会

滝元 絵梨子（岸和田市職員）

CASE DATE

文化政策グループ

［視 察 先］ case01　NPO アートサポートふくおか
［視察日時］ 2017 年 1 月 23 日（月）午後 2 時〜午後 4 時
［対 応 者］ 古賀 弥生（NPO アートサポートふくおか）
［視 察 者］ 岩川 幸二（高槻市 水道部）
　　　　　　 勝連 賢介（門真市 総合政策部 公共施設等総合管理計画策定担当）
　　　　　　 村井 和香子（寝屋川市 議会事務局）
　　　　　　 岡村 妙美（八尾市 人権文化ふれあい部 文化国際課）

［視 察 先］ case02　福岡県 宗像市
［視察日時］ 2017 年 1 月 24 日（火）午前 9 時 30 分〜午前 11 時 50 分
［対 応 者］ 磯部 輝美（宗像市 文化スポーツ担当部長兼文化スポーツ課課長）
　　　　　　 大塚 将司（宗像市 文化スポーツ課係長）
　　　　　　 愛月 菜愛美（宗像市 文化スポーツ課）
［視 察 者］ 勝連 賢介（門真市 総合政策部 公共施設等総合管理計画策定担当）
　　　　　　 村井 和香子（寝屋川市 議会事務局）
　　　　　　 岡村 妙美（八尾市 人権文化ふれあい部 文化国際課）

［視 察 先］ case03　NPO 法人 太宰府アートのたね
［視察日時］ 2017 年 1 月 24 日（火）午後 3 時〜午後 4 時 30 分
［対 応 者］ 牟田 佳子（NPO 法人 太宰府アートのたね）
　　　　　　 髙橋 史子（NPO 法人 太宰府アートのたね）
　　　　　　 児嶋 秀晃（太宰府市 建設経済部 観光経済課）
［視 察 者］ 勝連 賢介（門真市 総合政策部 公共施設等総合管理計画策定担当）
　　　　　　 村井 和香子（寝屋川市 議会事務局）
　　　　　　 岡村 妙美（八尾市 人権文化ふれあい部 文化国際課）

［視 察 先］ case04　新潟県 十日町市
［視察日時］ 2017 年 8 月 24 日（木）午後 2 時〜午後 5 時
［対 応 者］ 樋口 具範（十日町市 産業観光部 観光交流課 課長補佐）
　　　　　　 高橋 剛（十日町市 総務部 企画政策課 係長）
［視 察 者］ 勝連 賢介（門真市 まちづくり部 公共建築課）
　　　　　　 村井 和香子（寝屋川市 経営企画部 企画政策課）
　　　　　　 川井 妙美（八尾市 人権文化ふれあい部 文化国際課）

［視 察 先］　case 05　新潟県 新潟市
［視察日時］　2017年8月25日（金）午後1時30分〜午後3時
［対 応 者］　熊倉 寛子（新潟市 文化スポーツ部 文化政策課）
　　　　　　　白井 里枝（新潟市 文化スポーツ部 文化政策課）
［視 察 者］　勝連 賢介（門真市 まちづくり部 公共建築課）
　　　　　　　村井 和香子（寝屋川市 経営企画部 企画政策課）
　　　　　　　川井 妙美（八尾市 人権文化ふれあい部 文化国際課）

公共文化施設グループ

［視 察 先］　case 06　いわき芸術文化交流館 アリオス
［視察日時］　2016年12月6日（火）午後2時15分〜午後5時30分
［対 応 者］　支配人　大石 時雄
［視 察 者］　吉田 佳奈（門真市 生涯学習課）
　　　　　　　上田 詞子（枚方市 文化生涯学習室）
　　　　　　　阿部 登志子（枚方市 開発審査課）

［視 察 先］　case 07　金沢市文化ホール
［視察日時］　2017年2月18日（土）午後1時〜午後3時
［対 応 者］　館長補佐　廣瀬 俊郎
　　　　　　　主任　割出 祐子
［視 察 者］　上月 清登（高槻市 生活福祉総務課）

［視 察 先］　case 08　金沢市民芸術村
［視察日時］　2017年2月18日（土）午前10時〜午前12時
［対 応 者］　村長補佐　古立 武志
［視 察 者］　上月 清登（高槻市 生活福祉総務課）

［視 察 先］　case 09　可児市文化創造センター ala
［視察日時］　2017年2月17日（金）午前10時〜午前12時
［対 応 者］　館長兼劇場総監督　衛 紀生
　　　　　　　総務課長　田谷 和義
［視 察 者］　上月 清登（高槻市 生活福祉総務課）

［視 察 先］　case 10　長野市芸術館
［視察日時］　2016年12月7日（水）午前10時〜午前12時30分
［対 応 者］　事務局長　横山 暁
［視 察 者］　吉田 佳奈（門真市 生涯学習課）
　　　　　　　上田 詞子（枚方市 文化生涯学習室）
　　　　　　　阿部 登志子（枚方市 開発審査課）

［視 察 先］　case 11 富士見市民文化会館 キラリ☆ふじみ
［視察日時］　2017年6月27日（火）午後2時〜午後4時30分

［対 応 者］副館長　紅林 泉好
［視 察 者］上月 清登（高槻市 生活福祉総務課）
　　　　　　吉田 佳奈（門真市 文化・自治振興課）
　　　　　　阿部 登志子（枚方市 開発審査課）
　　　　　　上田 詞子（枚方市 文化生涯学習室）

［視 察 先］case12　小金井 宮地楽器ホール
［視察日時］2017年6月28日（水）午前9時～午前12時
［対 応 者］コミュニティ文化課 課長 鈴木 遵矢
　　　　　　主事　髙橋 航
　　　　　　館長　天羽 麻里子
　　　　　　施設管理マネージャー　栁町 匡俊
［視 察 者］上月 清登（高槻市 生活福祉総務課）
　　　　　　吉田 佳奈（門真市 文化・自治振興課）
　　　　　　阿部 登志子（枚方市 開発審査課）
　　　　　　上田 詞子（枚方市 文化生涯学習室）

［視 察 先］case13　所沢市民文化センター ミューズ
［視察日時］2017年6月28日（水）午後1時30分～午後4時30分
［対 応 者］総務課長　平井 清
　　　　　　事業課主査　冨田 行紀
［視 察 者］上月 清登（高槻市 生活福祉総務課）
　　　　　　吉田 佳奈（門真市 文化・自治振興課）
　　　　　　阿部 登志子（枚方市 開発審査課）
　　　　　　上田 詞子（枚方市 文化生涯学習室）

［視 察 先］case14　三田市総合文化センター 郷の音ホール
［視察日時］2017年8月21日（月）午後2時～午後5時
［対 応 者］三田市文化スポーツ課 課長補佐　山崎 敏昭
　　　　　　三田市総合文化センター 館長　高濱 壮文
［視 察 者］上月 清登（高槻市 生活福祉総務課）
　　　　　　吉田 佳奈（門真市 文化・自治振興課）
　　　　　　阿部 登志子（枚方市 開発審査課）
　　　　　　上田 詞子（枚方市 文化生涯学習室）

［視 察 先］case15　兵庫県立芸術文化センター
［視察日時］2017年8月24日（木）午後2時～午後5時
［対 応 者］副館長　藤村 順一
　　　　　　舞台技術部長兼舞台調整担当課長　関谷 潔司
　　　　　　総務部副部長兼総務企画担当課長　足立 彰久
　　　　　　総務部 総務企画担当課　河野 加代
［視 察 者］上月 清登（高槻市 生活福祉総務課）
　　　　　　吉田 佳奈（門真市 文化・自治振興課）
　　　　　　阿部 登志子（枚方市 開発審査課）
　　　　　　上田 詞子（枚方市 文化生涯学習室）

コミュニティ創生グループ

[視 察 先] case 16　大分県 大分市
[視察日時] 2017 年 1 月 26 日（木）午後 2 時〜午後 5 時
[対 応 者] 若林 正策（大分市企画部文化国際課文化企画班グループリーダー）
　　　　　　波多野 祐二（大分市企画部文化国際課文化施設班グループリーダー）
　　　　　　山内 由紀子（大分市企画部文化国際課文化企画担当班主査）
　　　　　　渡辺 麻里子（大分市企画部文化国際課文化企画担当班主事）
　　　　　　佐藤 栄介（大分市商工労働観光部商工政課アートを活かしたまちづくり担当）
[視 察 者] 津田 泰彦（吹田市税務部資産税課）
　　　　　　齋藤 圭子（高槻市教育管理部地域教育青少年課）
　　　　　　高橋 ひかる（四條畷市市民生活部人権政策課）
　　　　　　清水 一宏（交野市企画財政部秘書・政策企画課）

[視 察 先] case 17　山口県 萩市
[視察日時] 2017 年 1 月 27 日（金）午後 1 時〜午後 5 時
[対 応 者] 田中 慎二（まちじゅう博物館推進課長）
　　　　　　大平 憲二（まちじゅう博物館推進課長補佐兼推進係長）
　　　　　　須子 義久（NPO 萩まちじゅう博物館理事長）
[視 察 者] 津田 泰彦（吹田市税務部資産税課）
　　　　　　齋藤 圭子（高槻市教育管理部地域教育青少年課）
　　　　　　高橋 ひかる（四條畷市市民生活部人権政策課）
　　　　　　清水 一宏（交野市企画財政部秘書・政策企画課）

[視 察 先] case 18　石川県 珠洲市
[視察日時] 2017 年 9 月 22 日（金）午後 2 時〜午後 4 時
[対 応 者] 才式 嘉明（珠洲市奥能登国際芸術祭推進室次長）
[視 察 者] 津田 泰彦（吹田市総務部危機管理室）
　　　　　　齋藤 圭子（高槻市教育管理部地域教育青少年課）
　　　　　　高橋 ひかる（四條畷市市民生活部人権政策課）
　　　　　　清水 一宏（交野市企画財政部秘書・政策企画課）

文化創造・発信グループ

[視 察 先] case 19　NPO 法人 BEPPU PROJECT
[視察日時] 2017 年 1 月 16 日（月）午前 10 時〜午後 3 時
[対 応 者] 山出 淳也（NPO 法人 BEPPU PROJECT 代表理事）
　　　　　　綾木 真理（NPO 法人 BEPPU PROJECT）
　　　　　　若竹 美里（NPO 法人 BEPPU PROJECT）
[視 察 者] 能勢 恭雅（茨木市健康福祉部障害福祉課）
　　　　　　永原 友矩（茨木市市民文化部文化振興課）
　　　　　　牧野 ひと美（吹田市都市魅力部文化スポーツ推進室）

高橋 京司（富田林市上下水道部下水道課）

滝元 絵梨子（岸和田市まちづくり推進部都市計画課）

［視 察 先］ case20　NPO法人 尾道空き家再生プロジェクト
［視察日時］ 2017年1月17日（火）午前10時〜午後1時
［対 応 者］ 豊田 雅子（NPO法人尾道空き家再生プロジェクト 代表理事）
［視 察 者］ 能勢 恭雅（茨木市健康福祉部障害福祉課）

　　　　　　永原 友矩（茨木市市民文化部文化振興課）

　　　　　　牧野 ひと美（吹田市都市魅力部文化スポーツ推進室）

　　　　　　高橋 京司（富田林市上下水道部下水道課）

　　　　　　滝元 絵梨子（岸和田市まちづくり推進部都市計画課）

［視 察 先］ case21　NPO法人 まちづくりプロジェクトiD尾道
［視察日時］ 2017年1月17日（火）午後3時〜午後4時
［対 応 者］ 村上 博郁（NPO法人まちづくりプロジェクトiD尾道 代表理事）

　　　　　　田中 トシノリ（NPO法人まちづくりプロジェクトiD尾道 副代表理事）
［視 察 者］ 能勢 恭雅（茨木市健康福祉部障害福祉課）

　　　　　　永原 友矩（茨木市市民文化部文化振興課）

　　　　　　牧野 ひと美（吹田市都市魅力部文化スポーツ推進室）

　　　　　　高橋 京司（富田林市上下水道部下水道課）

　　　　　　滝元 絵梨子（岸和田市まちづくり推進部都市計画課）

［視 察 先］ case22　NPO法人 越後妻有里山協働機構
［視察日時］ 2017年8月20日（日）午前10時30分〜午前12時
［対 応 者］ 薮田 尚久（NPO法人越後妻有里山協働機構 事務局長）

　　　　　　小野塚 愛（NPO法人越後妻有里山協働機構）

　　　　　　柳生 明子（NPO法人越後妻有里山協働機構）
［視 察 者］ 能勢 恭雅（茨木市健康福祉部障害福祉課）

　　　　　　永原 友矩（茨木市市民文化部文化振興課）

　　　　　　牧野 ひと美（吹田市都市魅力部文化スポーツ推進室）

　　　　　　高橋 京司（富田林市上下水道部下水道課）

　　　　　　滝元 絵梨子（岸和田市まちづくり推進部都市計画課）

［視 察 先］ case23　長野県 大町市
［視察日時］ 2017年8月21日（月）午前10時30分〜午前12時
［対 応 者］ 勝野 礼二（大町市役所総務部 参事、北アルプス国際芸術祭実行委員会 事務局長）
［視 察 者］ 能勢 恭雅（茨木市健康福祉部障害福祉課）

　　　　　　永原 友矩（茨木市市民文化部文化振興課）

　　　　　　牧野 ひと美（吹田市都市魅力部文化スポーツ推進室）

　　　　　　高橋 京司（富田林市上下水道部下水道課）

　　　　　　滝元 絵梨子（岸和田市まちづくり推進部都市計画課）

COLUMN

[視 察 先] 01　滋賀県立芸術劇場びわ湖ホール
[視察日時] 2017年2月27日（月）午前11時〜午後6時30分
[作 成 者]　門真市 総合政策部公共施設等総合管理計画策定担当 勝連 賢介

[視 察 先] 02　豊中市立文化芸術センター
[視察日時] 2017年9月30日（土）午後2時30分〜午後6時30分
[作 成 者]　高槻市 健康福祉部生活福祉総務課 上月 清登

[視 察 先] 03　大地の芸術祭
[視察日時] 2017年8月19日（日）、20日（月）
[作 成 者]　茨木市 健康福祉部障害福祉課 能勢 恭雅

[視 察 先] 04　シンポジウム「文化芸術基本法と自治体の役割」
[開催日時] 2019年1月15日（火）午後6時30分〜午後9時
[作 成 者]　門真市 総合政策部公共施設等総合管理計画策定担当 勝連 賢介

すべて視察時の所属のため、現在の所属とは異なる場合があります。また、本文の内容についても、すべて視察時のため、現在は行っていない事業がある可能性もあります。ご了承ください。

本書は「文化・芸術を活かしたまちづくり研究会」研究員で作成したマッセ OSAKA 発行の中間報告書（2017年発行）および最終報告書（2018年発行）を元に編纂したものである。

2016年度 研究員一覧

グループ	市町村名	所　属	名　前
文化政策	高槻市	水道部	岩川 幸二
	門真市	総合政策部 公共施設等総合管理計画策定担当	勝連 賢介
	寝屋川市	議会事務局	村井 和香子
	八尾市	人権文化ふれあい部 文化国際課	岡村 妙美
公共文化施設	高槻市	健康福祉部 生活福祉総務課	上月 清登
	門真市	生涯学習部 生涯学習課	吉田 佳奈
	枚方市	産業文化部 文化生涯学習室	上田 詞子
	枚方市	都市整備部 開発指導室 開発審査課	阿部 登志子
コミュニティ創生	吹田市	税務部 資産税課	津田 泰彦
	高槻市	教育管理部 地域教育青少年課	齋藤 圭子
	交野市	企画財政部 秘書・政策企画課	清水 一宏
	四條畷市	市民生活部 人権政策課	高橋 ひかる
文化創造・発信	茨木市	健康福祉部 障害福祉課	能勢 恭雅
	茨木市	市民文化部 文化振興課	永原 友矩
	吹田市	都市魅力部 文化スポーツ推進室	牧野 ひと美
	富田林市	上下水道部 下水道課	高橋 京司
	岸和田市	まちづくり推進部 都市計画課	滝元 絵梨子

2017年度 研究員一覧

グループ	市町村名	所　属	名　前
文化政策	門真市	まちづくり部 公共建築課	勝連 賢介
	寝屋川市	経営企画部 企画政策課	村井 和香子
	八尾市	人権文化ふれあい部 文化国際課	川井 妙美
公共文化施設	高槻市	健康福祉部 生活福祉総務課	上月 清登
	門真市	市民生活部 文化・自治振興課	吉田 佳奈
	枚方市	産業文化部 文化生涯学習室	上田 詞子
	枚方市	都市整備部 開発指導室 開発審査課	阿部 登志子
コミュニティ創生	吹田市	総務部 危機管理室	津田 泰彦
	高槻市	教育管理部 地域教育青少年課	齋藤 圭子
	交野市	企画財政部 秘書・政策企画課	清水 一宏
	四條畷市	市民生活部 人権政策課	高橋 ひかる
文化創造・発信	茨木市	健康福祉部 障害福祉課	能勢 恭雅
	茨木市	市民文化部 文化振興課	永原 友矩
	吹田市	都市魅力部 文化スポーツ推進室	牧野 ひと美
	富田林市	上下水道部 下水道課	高橋 京司
	岸和田市	まちづくり推進部 都市計画課	滝元 絵梨子

藤野 一夫（ふじの・かずお）

1958年東京生まれ。芸術文化観光専門職大学副学長。神戸大学名誉教授。日本文化政策学会副会長、（公財）びわ湖芸術文化財団理事、（公財）神戸市民文化振興財団理事ほか、文化審議会等の委員を多数兼任。編著に『公共文化施設の公共性——運営・連携・哲学』（水曜社）『地域主権の国 ドイツの文化政策——人格の自由な発展と地方創生のために』（美学出版）『ワーグナー事典』（東京書籍）、ワーグナー『友人たちへの伝言』（共訳、法政大学出版会）など。

文化・芸術を活かしたまちづくり研究会

（公財）大阪府市町村振興協会・おおさか市町村職員研修研究センター（マッセOSAKA）が大阪府内市町村職員に対して実施した文化・芸術に関する2016年7月から2018年3月までの約2年間に渡る研修で、さまざまな自治体より18名の職員が集まった。自分の意思で参加した職員ばかりのため、文化施策担当者は半分もいないようなメンバーであったが、それぞれが意欲的に活動して、本書の基となる報告書の作成も行った。研修期間が終了したのちにも、経験を活かしたいという気持ちがあり、任意団体として活動を続け現在に至る。現在のメンバーは、本書の編者である4名となっている。

代表　能勢 恭雅（茨木市職員）
　　　上月 清登（高槻市職員）
　　　勝連 賢介（門真市職員）
　　　滝元 絵梨子（岸和田市職員）

基礎自治体の文化政策
——まちにアートが必要なわけ

発行日	2020年 2月10日　初版第一刷発行
	2021年 6月16日　初版第二刷発行
編　著	藤野一夫＋文化・芸術を活かしたまちづくり研究会
発行人	仙道 弘生
発行所	株式会社 水曜社
	〒160-0022 東京都新宿区新宿 1-14-12
	TEL.03-3351-8768　FAX.03-5362-7279
	URL suiyosha.hondana.jp
装幀・DTP	小田 純子
印　刷	日本ハイコム 株式会社

地域社会の明日を描く──

全国の書店でお買い求めください。価格はすべて税込（10%）

全国の書店でお買い求めください。価格はすべて税込（10%）